LE REQUIN
ET LA MOUETTE

Dominique de Villepin

LE REQUIN ET LA MOUETTE

PLON

ALBIN MICHEL

ISBN 2-259-20170-9

Je vois enfin la mer dans sa triple harmonie,
la mer qui tranche de son croissant la dynastie
des douleurs absurdes, la grande volière sauvage,
la mer crédule comme un liseron.

René Char, « *Le requin et la mouette* », 1946.

INTRODUCTION

Déjà, la catastrophe ? Combien de signes annonciateurs, alors même que depuis l'Antiquité rien ne semble pouvoir empêcher l'homme de voler plus haut, de Renaissances en Lumières, toujours plus proche du soleil ! Tant de divisions, de Nord et de Sud, d'Est et d'Ouest. Tant d'humains de couleurs, cultures et croyances différentes farouchement agrippés à leurs amulettes et à leurs totems, s'éloignant de cet homme là-bas, marchant à grands pas, en silence sur la ligne de crête, construisant une à une les marches de l'esprit, ouvert à tous les vents.

Ce livre est né de la volonté de préserver les chemins de traverse, d'accueillir l'histoire, la philosophie, la littérature dans la fraîcheur des sources. Ne point céder à la mode ni à la peur, mais arpenter les falaises, côtoyer la vie près des gouffres, là où le requin et la mouette poursuivent après l'orage leur furieux dialogue, leurs épousailles affamées d'arcs-en-ciel.

Ce livre s'est enrichi de la conviction que la France n'était jamais davantage fidèle à elle-même que lorsqu'elle tournait ses regards vers l'universel et qu'elle avait l'audace d'étreindre l'ailleurs. Notre pays a un message d'espoir à délivrer. Il est capable d'apaiser le tumulte de la peur et de la haine en ouvrant une perspective de justice. La France, puissance moyenne, nation comme les autres ? Non, mais puissance au service des peuples, puissance attendue, espérée et entendue, éprise des valeurs de tolérance, de démocratie et de paix. Puissance au service d'un universel qu'elle a défendu au fil des siècles par les armes et par les lois, et qui ne peut vivre aujourd'hui que de respect et d'échange.

Comment oublier l'émotion de mon père vibrant à l'étranger des bruits de la France sur sa radio à ondes courtes ? Cette émotion, je l'ai ressentie à Abidjan, à Beyrouth, à Alger, à Athènes, aux côtés du président de la République. Ou la nuit tombée, dans son bureau, quand d'un nom de ville, de pays ou d'ethnie, il dressait devant moi la fresque d'un peuple, d'un temps englouti ou à venir. Je retrouvais alors l'esprit français toujours à l'ouvrage.

L'heure n'est plus à la conquête, armes à la main, mais à l'audace, à l'appétit, à l'enthousiasme. Alors, épris du familier, amoureux du lointain, s'arracher à la pente pour voler encore. Et sur les tableaux noirs, dans les caves et les soupentes, sur les murs quand le cœur désespère, écrire l'espoir.

Ce devoir m'apparut une nouvelle fois un dimanche d'avril, quelques jours après ma prise de fonctions place Beauvau quand je visitais les vastes bâtiments du ministère de l'Intérieur. Je fus saisi à la vue de trois cellules gardées intactes depuis la guerre, les deux premières au quatrième étage de la rue des Saussaies, la troisième au second de la rue Cambacérès, dans ces immeubles de la Sûreté nationale de l'époque, réquisitionnés par la Gestapo. Ici défilèrent, à partir de la fin 1941, des centaines de Françaises et de Français, résistants de tous âges, de toutes conditions, soumis aux interrogatoires et à la torture. Sur les murs de ces cellules, ils avaient écrit leur dernier message, avec des objets de fortune : épingles, pointes de bois ou mines de crayon, avec leurs ongles même. Et quelle surprise de constater que la plupart de ces graffitis n'étaient que des messages de courage et d'espoir : « Pense à tes camarades encore libres qui travaillent à ta libération », « N'avoue jamais », « Cornélius dit bon courage à tous les passagers. Une seule devise : n'avouez jamais », « Du cran », « La confiance en soi donne la force de résister malgré la baignoire et le reste – Haut les cœurs », « A tous les... tenez bon encore. On les aura bientôt. De la part d'un jeune Lorrain condamné à mort pour désertion ». Parfois le temps a effacé certains mots, mais le message reste vivant : « Lutte... », « ... résistance. », « ... pas parlé... », « ... toujours... », « ... courage... ». Vibre le cœur d'un père, d'une sœur, d'un ami derrière les noms et pseudonymes griffonnés à la hâte : Maigret, Marcel B., Petit Lou, Galant, Alsace Dupont, Raymond, Monique, P.E., P.B., R.P...

Quel honneur d'être français, dans ce pays au carrefour des âges et des mondes, emporté par des fièvres qui nous blessent, nous bouleversent et en même temps nous rendent à nous-mêmes : fidèles à une mémoire, fidèles à une exigence pour donner une conscience, une âme à notre Terre. La guerre à livrer n'est pas celle du bien contre le mal, de quelques hommes contre d'autres hommes, mais une bataille en chacun de nous, l'affrontement de la puissance et de la grâce, de la cruauté et de la fraternité.

Ce livre enfin a mûri grâce à une expérience que je souhaite faire partager. Tout ce qui se passe en dehors de nos frontières a désormais une répercussion sur nos vies quotidiennes. Du ministère des Affaires étrangères au ministère de l'Intérieur, j'ai mesuré combien la continuité l'emportait sur la rupture, qu'il s'agisse de la défense de nos idéaux et de nos principes ou de la lutte contre les démons de la haine, du racisme et de l'antisémitisme. Il n'y a pas d'un côté les questions internationales, de l'autre les problèmes intérieurs, mais une seule et même destinée dont nous sommes tous responsables.

De Marseille à Kyoto, de Limoges à Mexico, s'affirme aujourd'hui l'espace d'un même regard, d'une même communauté d'hommes. Tous les grands défis économiques, sociaux, culturels ou de sécurité se jouent désormais sur un échiquier à la taille du monde. N'y voyons pas une menace, mais une obligation de mouvement et d'adaptation, une chance, redoublée par le don et la grâce de notre terre. Qu'elles nous rendent plus forts, plus indulgents, meilleurs, et nous détournent de nos querelles et rivalités de clocher, fidèles à l'esprit de ce pays qui est le nôtre. Qu'elles libèrent nos énergies et nos ambitions, afin que nous exprimions nos talents, notre savoir et notre originalité sur tous les continents. Qu'elles nous rendent aussi plus soucieux de faire vivre chez nous nos principes, notre exigence de liberté, de solidarité, d'égalité des chances, afin que personne ne reste sur le bord du chemin. Oui, je crois à cette folle immortalité française qui veut réconcilier les contraires. Je crois à l'éternité de l'homme né un soir de 1789.

Pour assurer à nos concitoyens la sécurité, le progrès, la croissance et le dynamisme auxquels ils aspirent, nous devons nous tourner vers le grand large, emprunter les voies de l'étranger et apprendre à mieux connaître le monde alentour. J'ai vu à nos frontières, face aux grandes catastrophes, marées noires, inondations, feux de forêt, et dans le combat que nous menons sans relâche contre les trafics de drogue ou contre le terrorisme, combien était précieuse une coopération étroite avec nos amis européens. J'ai mesuré à quel point les phénomènes de l'immigration ou des réseaux criminels pouvaient être traités avec davantage d'efficacité si nous étions en mesure d'instaurer une relation de solidarité avec les pays touchés par les mêmes fléaux. Dans un temps d'échange et d'ouverture, l'erreur serait de se calfeutrer chez soi. Armés de nos idéaux et de nos principes, nous sommes bien placés pour affronter sereinement les regards extérieurs, et pour y puiser une nouvelle force. A nous de défendre dans un esprit de tolérance les valeurs qui nous permettront de dialoguer en pleine confiance avec l'autre. A nous de faire le choix du monde.

*

Voilà bien aujourd'hui encore un temps de révolution, sans que nul comprenne les raisons de tels bouleversements, ni leur fin. Les certitudes d'hier s'effondrent en quelques instants. De nouvelles règles se construisent, de nouveaux ordres se mettent en place. Il n'est pas jusqu'aux fondements de la puissance qui ne soient remis en cause. Cet âge de rupture appelle un sursaut de la conscience. Elle seule pourra faire pencher le fléau de la balance du côté de la justice. Elle seule nous permettra de retrouver le chemin de la paix.

Car les peuples hésitent. Ils ne savent à quel pouvoir ou à quel dieu se vouer. Dans l'incertitude, les discours les plus simplistes, les revendications les plus violentes retrouvent une apparence de légitimité. Des appels à la haine, accueillis hier par le mépris, trouvent aujourd'hui un écho. Des messages extrémistes relayés des confins de la planète conduisent à des actes barbares. Si nous ne sommes pas capables de choisir une direction, d'autres le feront à notre place. Ce sont les plus volontaires, les plus convaincus, les plus audacieux d'entre nous qui fixeront le cap du monde.

Rien n'est plus nécessaire aujourd'hui que le fil à plomb de la conscience. Rien n'est plus indispensable aux pays en proie à la tourmente, qui se donneront sinon au plus offrant, au plus tapageur, voire au plus radical. Rien n'est plus nécessaire à l'Europe, qui cherche son destin. D'un regard vagabond, l'âme disponible, épousons les contours de la diversité. Apprenons à puiser notre énergie dans l'étonnement d'un monde neuf. Son destin oscille en fonction des rapports de force et dans le huis clos de chaque conscience, confrontée au choix de la division ou de la réconciliation. Voilà le nouveau théâtre, le véritable théâtre révolutionnaire.

Ce qui se joue, c'est d'abord la réconciliation de l'homme avec lui-même. Car il n'y aura de vrai dialogue avec l'autre que si chacun est en mesure de renouer avec sa propre culture, de conserver vivante sa mémoire. Les identités sont multiples. Elles font la richesse de nos continents. Mais elles ne trouveront leur plénitude que si chacune d'entre elles est reconnue et se voit assigner une place respectée au côté des autres.

Ce qui se joue aussi, c'est la réconciliation de l'homme avec l'autre. A la Renaissance puis au siècle des Lumières, l'autre était un sujet de découverte et d'étonnement. L'esclavage et la colonisation ne peuvent faire oublier l'invitation au dialogue, au partage, au regard critique sur soi. L'épreuve de l'inconnu permettait de mieux se connaître. Aujourd'hui l'autre provoque trop souvent la peur et le soupçon. Chacun se recroqueville sur lui-même, dans la crainte d'une atteinte à ses droits ou à son identité, dans la hantise d'une agression ou d'une simple incompréhension susceptible de tourner à l'affrontement. La rivalité et l'ignorance font le lit d'un choc des cultures et des religions qui n'a pourtant rien d'inéluctable, mais dont nous ne saurions taire le péril si nous voulons le contrer.

Ce qui se joue enfin, c'est la réconciliation de l'homme avec son environnement. Nous disposons des moyens de ruiner ou de faire disparaître notre planète. Nous courons le risque de saccager sans retour ce monde qui assure notre subsistance et notre survie. Au nom de cette force nouvelle, héritée des progrès de la technique, nous avons une responsabilité : garantir à nos enfants qu'ils vivront dans un environnement préservé des dégradations les plus graves, un environnement qui sera moins un potentiel à exploiter qu'une ressource à protéger.

Alors oui, c'est bien de volontés en marche que viendra le sursaut, pour forcer le destin d'un monde qui s'interroge, nourrit les contraires, dessine des horizons neufs et rappelle les angoisses d'un passé disparu. Temps changeant qui, le matin, frappe l'œil d'un éclat de soleil et brusquement, le soir, rassemble des nuages lourds d'orages. Laissant libre cours à la quête, j'ai voulu tenter de déchiffrer cet écheveau de failles et de poussées millénaires qui façonne notre actualité. Pour comprendre les erreurs d'aiguillage et les tragiques engrenages, pour repérer les points d'ancrage auxquels s'arrimer. Ainsi va le monde, avec son lot de drames et de fables.

Naguère encore, nous nous imaginions parvenir à la fin de l'histoire, c'est-à-dire à l'avènement sans partage d'un modèle démocratique libéral capable de garantir les droits et les libertés de chacun. Beaucoup avaient cru voir s'accomplir enfin, au sortir du siècle des génocides et de la terreur de l'apocalypse nucléaire, ce rêve utopique des religions laïques de la modernité : après l'idéologie du massacre, après la rage de pureté et d'élimination, après la technique court-circuitant la conscience, un nouvel ordre mondial de concorde et de paix n'allait-il pas enfin s'imposer ? L'hypothèse n'était pas absurde : nous avions assisté, au début des années

1990, à des bouleversements que personne n'aurait crus envisageables quelques années auparavant. Le 11 septembre a tempéré ces espérances. Il a réintroduit de la manière la plus brutale les blessures de la mémoire et la violence de l'histoire, comme si celle-ci s'écrivait sur le même éternel palimpseste.

Notre choix de développement peine à faire face à la montée des risques. Pollution, prolifération nucléaire, nouvelles épidémies : les dangers se mondialisent aujourd'hui instantanément. Ce devenir planétaire du désastre ferme notre horizon. Partout résonne l'antienne d'un monde privé d'âme et d'élan, écrasé sous le rouleau compresseur d'un libéralisme économique sans frein et sans morale, d'une technologie conquérante et inhumaine. Partout se répand une étrange atmosphère de mise en garde face aux dangers que court une société enchaînée au char de la modernité. De toutes parts, des prophètes de malheur vont répétant le refrain trop entendu du déclin.

Le doute est finalement revenu à sa patrie d'origine : la civilisation européenne. Inscrit au plus profond de notre culture, il constitue à la fois le meilleur et le pire de nous-mêmes : le meilleur quand il pousse à la distance, à l'examen critique et au dépassement ; le pire quand il s'identifie à l'inconstance ou à la lâcheté.

Il y a cependant une faculté qu'aucune puissance ne peut nous retirer : c'est celle du commencement, signature même de la liberté humaine. Nous avons ce pouvoir. Pour en éprouver la joie, reste à en vaincre la peur. Car nous sommes aujourd'hui à un tournant, confrontés à un choix. Devant le désordre, devant l'inextricable chaos des crises et des menaces, nous pouvons suivre la pente du découragement et du laisser-aller. Ou, au contraire, rassembler nos forces pour convoquer un sursaut et prendre un nouvel élan.

Au cœur du tourbillon, à nous de trouver la volonté d'un arrachement. C'est la difficulté de notre époque : nous travaillons une matière en fusion, qui n'attend pas. Et pourtant rien ne serait pire que de renoncer. Dans tous les domaines, de la science à l'économie, des relations internationales à l'art, l'exigence d'une éthique fondée sur l'homme est plus forte que jamais si nous voulons redonner corps et sens au progrès.

Sachons puiser dans le passé, non la nostalgie d'un âge d'or révolu, mais l'énergie d'une nouvelle volonté. Seule la conviction nous permettra de vaincre les malédictions. Les peuples et les Etats ont les moyens de bouleverser la donne. Le désastre annoncé n'est pas joué. Les affrontements entre les cultures et les religions ne sont pas une fatalité. Il existe une conscience collective déterminée à déjouer ces prédictions et à inventer les conditions d'une vie en commun. Nous avons entre les mains des leviers capables de déplacer les blocs les plus lourds et de briser les murailles de certitudes. Nous voici à ce point crucial où s'entrevoit la possibilité d'une réconciliation entre la puissance et la grâce, entre le ciel et la mer, entre le requin et la mouette, parfaite alliance des contraires célébrée par les philosophes et les poètes. Oui, une nouvelle fraternité est possible. Un sens est possible. Des valeurs existent, qui méritent d'être défendues. Ce livre n'a pas d'autre objet que d'évoquer notre parcours commun, pour progresser d'un pas plus sûr dans la voie de demain.

CHAPITRE 1

LE DÉSENCHANTEMENT

Il tourne, le monde, petit globe miroitant qu'on croirait pouvoir prendre au creux de la main ! Mais monde gros de douleurs, saignant de mille plaies, tel l'échiquier du conte arabe sur lequel des pions vivants livraient de véritables batailles. Monde en fusion, emporté par un tourbillon de passions, mais monde à la dérive, sans boussole et sans erre. Monde incandescent, grisé de vitesse, mais suintant de fièvres. Monde en deuil des pensées, des idéaux qui transportent les hommes.

Comme à la Renaissance, l'horizon s'élargit tandis que la terre se rétrécit. Des pionniers abordent aux rives nouvelles tandis que le monde ancien s'enivre de nostalgie dans la crainte du déclin. L'aspiration vers plus d'humanité grandit, tandis que plane l'ombre des fanatismes et des guerres de religion. Perdue face à ce spectacle, la conscience s'interroge : qu'y a-t-il au-delà de ces métamorphoses, une aube nouvelle ou les ténèbres de la décadence ? Il y a cinq siècles, déjà, l'*Eloge de la folie* d'Erasme répondait à *La Nef des fous* de Sébastien Brandt : deux versants de l'humanisme, l'un optimiste et idéaliste, l'autre cynique et désabusé. Aujourd'hui encore, la folie hésite. Folie douce, joyeuse, de ce monde de tous les possibles, de toutes les virtualités allouées à nos imaginations, des images qui défilent, des connaissances offertes à qui veut les saisir. Folie sombre, inquiétante, des guerres civiles sans issue, folie furieuse du terrorisme aveugle, des massacres et des purifications ethniques. Toutes les démences sont sur le vaisseau de l'humanité. Mais la nef des fous s'éloigne-t-elle du pays de Cocagne, ou va-t-elle y aborder, comme nous le promettent les prophètes des nouvelles technologies ?

Soumise à une rationalité technicienne, notre époque se trouve prise dans des engrenages que rien ne semble pouvoir arrêter. Quelle confusion pour nous, enfants du progrès qui avons bu à la fontaine de la connaissance, avant d'en trouver l'eau amère ! Carnavals, rondes frénétiques ou macabres, sarabandes et danses de Saint-Guy : voilà le ballet auquel il faut désormais s'abandonner si l'on veut s'accorder au rythme du monde. Il faut interroger les maudits et les voyants, sonder les fractures de l'histoire, ausculter les intersignes et les oracles. Il est temps d'admettre la perte de nos repères, de reprendre le bâton du pèlerin, de repartir des expériences premières, de retrouver la capacité d'étonnement qui seule permet d'entrevoir la réalité du jour.

Les occasions perdues

Aujourd'hui nous revient le souvenir des occasions manquées, de ces instants de grâce où une chance s'offrait que nous n'avons pas su saisir. A la Renaissance, Gutenberg invente l'imprimerie à caractères mobiles. La naissance du livre détrône les manuscrits. Les trésors de la littérature, jusque-là conservés jalousement dans les bibliothèques des princes et des monastères, sont mis à la portée de tous. Les hommes découvrent avec émerveillement l'Antiquité grecque et latine, ses modèles de sagesse, s'émeuvent devant des formes pures, surgissant comme renouvelées de la gangue des siècles. Les peintres jouent des harmonies entre tradition chrétienne et antiquité classique, campant des scènes religieuses dans des décors d'arcades et de colonnades, n'hésitant plus à afficher une distance critique, parfois jusqu'à l'irrévérence. Dans l'étonnante *Annonciation* de Lorenzo Lotto, la Vierge tourne le dos à Dieu et à son livre de prières, tandis que l'apparition de l'Ange au visage halluciné fait s'enfuir un chat terrorisé. Voici aussi Erasme, Montaigne, Rabelais, Léonard, Dürer, illustrant par la connaissance des arts et des savoirs cette affirmation de Pic de La Mirandole : « On ne peut rien voir de plus admirable que l'homme. » Voici enfin Christophe Colomb, Amerigo Vespucci, Vasco de Gama, qui révèlent un monde nouveau, riche de promesses et d'opportunités ; un monde qui confronte les Occidentaux à des civilisations autres et lointaines.

Tout se met en place pour que s'accomplisse le miracle d'une nouvelle conscience. Les humanistes recueillent l'héritage des alchimistes, dépositaires des correspondances secrètes qui tissent un réseau complexe entre l'homme et l'univers, entre le microcosme et le macrocosme. L'humanité, qui vient d'achever la découverte du monde, se pressent confusément une. Les plus éclairés des philosophes ont déjà coutume de se considérer comme des « citoyens du monde » : le mot « cosmopolite » se répand dans les milieux humanistes. Il élargit aux dimensions de la planète le cercle grec de l'appartenance, la cité, dont le périmètre marquait la séparation entre le dehors et le dedans, entre citoyens et métèques. Il laisse espérer, pour la première fois depuis l'avènement du Christ, la perspective d'un genre humain enfin réconcilié.

Pourtant, à peine entrevue, cette belle intuition est saccagée. L'Europe se déchire et s'abandonne au démon de la puissance aveugle. La conquête du Nouveau Monde tourne au pillage et au carnage, tandis que flambent les autodafés où des moines fanatiques tentent d'anéantir jusqu'au souvenir des civilisations précolombiennes. Massacres, trahisons, assassinats ponctuent la conquête de l'Amérique : Pizarro trompant la confiance de l'Inca Atahualpa pour le capturer et le faire exécuter ; Cortés se saisissant par surprise de l'empereur aztèque Moctezuma convaincu de voir en lui ce dieu blanc et barbu dont les légendes annonçaient la venue. Las Casas, seul, ose se dresser contre les exactions des soudards espagnols, élevant la voix de l'humanité outragée et martyrisée. « Je ne suis pas de ceux qui reviennent de la lumière », pourra écrire longtemps après Pablo Neruda.

Pendant que la cupidité alliée au fanatisme ravage le Nouveau Monde, la discorde religieuse s'installe dans l'Ancien. La Réforme, prêchée tour à tour par Luther et par Calvin, embrase les esprits. Dans les Flandres pour commencer, où les idées nouvelles, amenées par les grands courants d'échange commercial, ont rapidement pénétré : elles attisent la révolte contre la domination espagnole de l'ombrageux et dévot Philippe II. Les guerres de Religion déchirent bientôt la France, le soir tombe sur Paris dévasté par la Saint-Barthélemy, « le ciel fumant de sang et d'âmes », note Agrippa d'Aubigné. Menacé, le catholicisme se raidit dans la Contre-Réforme : l'Inquisition, placée sous le contrôle du Saint-Office, renaît, l'Index est établi, la Compagnie de Jésus soutenue par le pape Paul III accroît sa pression sur le dogme que fixe le concile de Trente. En 1618, la Défenestration de Prague ouvre la guerre de Trente Ans qui va décimer l'Europe et ruiner le Saint-Empire. La paix de Westphalie, en 1648, invente l'équilibre continental mais ne préserve pas longtemps la paix, victime de la rivalité séculaire entre les Bourbons et les Habsbourg et de la soif de gloire de Louis XIV. C'est l'échec.

Un demi-siècle plus tard, l'esprit humaniste pointe sous une forme nouvelle. Avec la « crise de la conscience européenne » qui s'ouvre dans les années 1680, les hommes mettent les dogmes en question. Le doute rationaliste, pressenti par Montaigne, affirmé par Descartes près d'un demi-siècle plus tôt, corrode les vérités établies. Fontenelle cherche, avant Voltaire, à débusquer les origines de la superstition. Les Modernes s'opposent aux Anciens, refusant l'imitation de l'Antiquité et préférant les langues vulgaires aux langues savantes. Newton révolutionne la physique, brisant définitivement la séparation entre le monde d'ici-bas et le monde céleste, héritée d'Aristote : il découvre que la gravitation, qu'on dira pour cela « universelle », s'applique à l'un comme à l'autre, que la même force fait tomber les pommes au sol et maintient la Lune sur son orbite, et il en décrit la loi mathématique. C'est, par-delà la révolution cosmologique, l'idée d'égalité qui s'introduit dans la pensée politique moderne. Bientôt, les philosophes des Lumières vont appliquer la critique rationaliste aux institutions humaines, à commencer par la religion. Montesquieu puis Rousseau réinventent la politique, Voltaire en appelle à la raison pour défendre la tolérance, Diderot et d'Alembert, dans l'*Encyclopédie*, sapent tous les fanatismes. Un vent nouveau se lève, fait de distance critique, d'ironie, d'envie de connaître la vérité, de refus des préjugés. Les hommes veulent désormais penser par eux-mêmes, convaincus d'avoir la raison en partage, fonds commun de l'humanité grâce auquel « la nature est toujours et partout la même », comme l'affirme Voltaire dans son *Essai sur les mœurs*.

Par-delà les mers, la raison relie les hommes comme un trait d'union qu'illustrent les deux révolutions jumelles, d'un côté et de l'autre de l'Atlantique, l'américaine et la française.

Pourtant, déjà la machine s'emballe. La raison, arme contre le fanatisme, devient à son tour l'instrument d'un autre fanatisme. La philosophie se raidit, excommuniant sans merci ceux qui voudraient lui résister. La Révolution française bascule dans la Terreur. La mort du roi scelle la victoire définitive des idées neuves en même temps que l'échec des Lumières. L'Europe des rois se dresse contre la France de la Révolution. La prise de la Bastille a allumé partout des incendies qui brûleront tout le siècle suivant, de Missolonghi à la révolution brabançonne en passant par le Risorgimento et, en France même, par la valse des régimes et des légitimités. Echec encore.

L'essor industriel, la floraison des techniques – de la machine à vapeur à l'électricité, de l'aluminium aux aciers spéciaux – favorisent, avec l'expansion économique, l'apaisement des passions politiques. Mais le feu couve toujours sous la cendre, en 1830, en 1848, après l'humiliation de Sedan, les déchirements de la querelle religieuse ou de l'affaire Dreyfus. Les symbolistes rejettent le matérialisme et le scientisme, guettant un au-delà, un ailleurs éthéré. Les passions libérales et nationales agitent les vastes empires issus du congrès de Vienne. La Première Guerre mondiale ravage l'Europe : pour aboutir à ce carnage inouï, il a fallu mobiliser les ressources immenses de la technique la plus moderne et de ses grands appareils industriels.

Les empires vermoulus n'y résistent pas, qu'il s'agisse de l'Autriche-Hongrie, du Reich moderniste allemand ou des vieux empires autocratiques russe et ottoman. Eviter une nouvelle guerre devient l'obsession de toute une génération politique. Cependant, l'Europe s'égare. Le totalitarisme s'installe en Union soviétique, tandis que le fascisme gangrène le continent. L'esprit généreux qui animait la Société des nations et le pacte Briand-Kellogg s'épuise. Comme aimanté par un destin tragique, notre continent court à l'abîme, habité par le sentiment de la fatalité. L'Europe courbe l'échine devant Hitler : après Verdun, Montoire. La guerre de nouveau déchire le monde.

L'individu en sort hébété. Les premières bombes atomiques ont mis fin à la Seconde Guerre mondiale, mais à quel prix ! Une nouvelle fois, les hommes réitèrent leur serment : « Plus jamais ça ! » La création de l'Organisation des nations unies renouvelle la fondation de la Société des nations pour éliminer la guerre de la surface de la terre ; la construction de l'Europe corrige le traité de Versailles ; l'amitié franco-allemande soldera bientôt un siècle et demi de conflits. Partout sur le continent, on cherche à mettre en place une économie plus juste, plus solidaire, pour que les peuples soient plus proches, unis dans la paix par la démocratie. La proclamation de la Déclaration universelle des droits de l'homme, affirmant solennellement l'unité du genre humain, témoigne d'un sursaut de l'humanité, chancelante au sortir de la catastrophe. Il faut se ressaisir et tirer les leçons du naufrage. Or, dès la conférence de Yalta, un rideau de fer tombe sur le continent, selon le mot de Winston Churchill. La guerre froide partage le monde en deux blocs antagonistes, engagés dans une compétition pour la constitution du plus grand arsenal nucléaire. Les stratèges inventent l'« équilibre de la terreur ». Le monde vit dans la peur d'un nouvel incendie, que chaque étincelle fait redouter.

La chute du mur de Berlin en 1989, puis l'effondrement, peu après, de l'Union soviétique, brisent l'étau d'angoisse. Plus rien ne semble faire obstacle à l'unité du monde. Les échanges commerciaux s'accélèrent, la circulation de l'information se fait plus fluide, plus rapide. Chacun est à l'écoute des bruits du monde, mettant la planète à portée de main. Les frontières nationales s'abolissent. Les menaces globales qui se dessinent montrent que les hommes doivent désormais s'inventer des destins solidaires.

Il n'empêche : de nouveaux clivages se dessinent et font entendre d'inquiétants craquements – fractures culturelles, linguistiques, religieuses, ethniques, tribales ; la violence et la guerre ne connaissent pas de répit, depuis le terrorisme mondialisé jusqu'à ces conflits qui s'éternisent. Allons-nous une fois encore laisser passer l'occasion que l'histoire nous désigne ? A cette heure où le monde se trouve tout près de basculer dans l'irréparable, mais à même aussi de saisir la possibilité qu'il aperçoit, la volonté, l'énergie, le talent, la force de conviction doivent servir la seule cause qui vaille : l'homme partie prenante d'une même humanité.

Comme par une ruse tragique de l'histoire, le découragement guette à l'heure où nous pourrions entrevoir ce nouveau dessein collectif. Au moment précis où l'action devient possible, jamais l'interrogation sur son efficacité n'a paru plus pertinente. Comment agir, et selon quels critères, lorsqu'il faut intégrer court, moyen et long terme, lorsque les bénéfices d'aujourd'hui précèdent peut-être les désastres de demain ? Comment interpréter la violence et la terreur après la fin des affrontements idéologiques et l'effondrement des messianismes politiques ? L'idée refait surface d'un mal radical enfoui au tréfonds de l'âme. La figure de mort du kamikaze incarne cette nouvelle irruption de l'inacceptable sur la scène internationale. Avec la multiplication des attentats suicide, l'idée se répand que le pire peut toujours arriver et que tous les scénarios sont possibles. Le retour de l'angoisse scelle une perte de confiance globale. Car il y a, au fond de l'être, une part sombre, funèbre, tournée vers la violence et la destruction ; sous le visage clair et lisse d'Apollon, représentant le rayonnement de la civilisation, se dissimule toujours celui de Dionysos, sauvage et obscur. Notre époque tend à l'idolâtrie lorsqu'elle s'efforce de rejeter cette dualité de l'homme et, par conséquent, d'elle-même. La part de souffrance et de mort demeure toujours présente en nous. Reniée, elle devient d'autant plus dangereuse.

Et pourtant, au-delà de toutes les catastrophes, derrière la blessure, demeurent l'ambition d'un dépassement, l'espoir d'une renaissance, pour, comme nous y invite Adonis dans *Mémoire du vent*, « dans ses cendres » découvrir « une aube pure ».

La malédiction

Pourquoi sommes-nous incapables de tirer les leçons du passé ? Armé de la technique, l'homme s'est cru tout-puissant – Prométhée volant le feu aux dieux. Survint le coup de tonnerre de 1945 : la découverte épouvantée des ravages de la Shoah et la stupeur qui a suivi le bombardement de Hiroshima. A l'ambition prométhéenne succéda « la honte prométhéenne », selon la formule de Günther Anders. L'homme a entrevu l'apocalypse, et pourtant il persévère dans sa course à la maîtrise du monde et de la nature. Commettant toujours la même faute, il s'expose à l'éternel châtiment.

Le mauvais s'enfouit sous l'apparence du bon, l'absurde épouse les contours de la logique, le déclin s'habille des plumes du progrès. Nul ne veut jamais la guerre, et pourtant la guerre éclate. Nul n'accepte la détresse et les ravages de la maladie, et pourtant le sida décime en silence l'Afrique et l'Asie. Nul ne veut nuire à l'environnement, et pourtant la planète se dégrade chaque jour un peu plus vite. D'un même élan les contraires progressent, civilisation et barbarie, connaissance et ignorance, communication et intolérance.

L'humanité, éblouie par ses inventions, ne parvient pas à les maîtriser. La cage d'acier de la modernité, évoquée par Max Weber et qu'on avait crue brisée, se referme. L'homme se retrouve prisonnier d'un éternel présent. Dictature de la vitesse, de l'immédiat, de l'instantané. Dictature des marchés et des grandes entreprises, imposant leur loi aux Etats. Dictature de la virtualité médiatique, qui transforme la chose publique en un vaste spectacle où l'image prend le pas sur le réel. Dictature de la technique, qui comprend et domine les précédentes, imprimant son rythme à l'homme et resserrant sans cesse l'espace du libre choix, et donc celui de la morale. L'homme se retrouve tel un voleur de feu fourvoyé. Aux dégâts que la technique commet, nous ne trouvons de réponse que dans un surcroît de modernité. Nous voici renvoyés à la vérité profonde décelée par Adorno et Horkheimer : « La terreur et la civilisation sont inséparables. »

L'histoire de l'humanité repose sur la dualité entre l'homme et la nature. Les épopées homériques, comme les tragédies grecques, ne cessent d'explorer cette question essentielle du lien entre l'humain et son environnement. Pendant des siècles, elle a occupé l'esprit des hommes, traversé leurs recherches philosophiques, parcouru leurs poèmes et leurs chants. Mais voici que nous entrons dans un âge qui voit la nature disparaître. Sur la mappemonde, les zones vierges ne cessent de rétrécir ; un peu partout, des « réserves » sont créées où la nature est comme mise au musée. Le fruit de nos œuvres ne cesse de gagner dans un univers refaçonné. Déjà se dessine l'étape ultime, où la vie, où l'homme lui-même ne seront que des matériaux à l'usage de la technique, « matériel humain que l'on attelle au but proposé », selon la formule terrifiante de Heidegger.

Séparée d'une nature qu'elle pourrait anéantir, l'humanité risque de se trouver bientôt étrangère à elle-même. La technique menace l'art et la poésie, affirme encore Heidegger, qui évoque la disparition de la montagne Sainte-Victoire chère à Cézanne et que jamais plus nous ne verrons comme il la voyait. L'humanité a abandonné d'autres formes d'existence, d'autres formes de rapport à soi et au monde. Elle y a renoncé sans même y penser ; elle les a laissées dépérir et se détruire. Non seulement les anciens chemins se ferment, mais le tracé de leur souvenir s'efface sans que quiconque en ait jamais fait le choix ou porté la responsabilité. L'obsession du progrès met fin à la polyphonie du monde. Notre humanité a perdu de multiples ressources, la connaissance de la nature et la capacité à en triompher, les systèmes de pensée magiques et la maîtrise du corps. Déjà, le XIXe siècle, en dépit de sa confiance dans l'avenir, pressentait les dégâts. Dickens l'avait compris, et il se montre sombre et désabusé dans le plus désespéré de ses livres, *Notre ami commun*, quatre ans avant sa mort survenue en 1870 : pour lui l'époque moderne s'identifie à la poussière, cette suie âcre recouvrant tout Londres où les usines ont poussé comme des champignons.

Nous risquons un dérèglement profond, voire une destruction des écosystèmes. L'utilisation intensive des ressources naturelles aggrave les problèmes tels que celui de la déforestation : la destruction de la forêt amazonienne fragilise l'équilibre écologique de l'ensemble du globe, dont elle constitue en quelque sorte le poumon. La stérilisation et l'érosion des sols, particulièrement en Afrique et au Moyen-Orient, transforment en déserts de vastes zones de prairies. La planète devient de plus en plus inhospitalière. L'alimentation elle-même est mise en cause, et des dangers bien réels provoquent périodiquement de véritables psychoses, comme celle de la maladie de Creutzfeldt-Jakob. Bien sûr des progrès sont indéniables, l'allongement de la durée de vie en témoigne. Mais quel étrange renversement de l'histoire que de voir la nourriture associée au danger de mort dans les sociétés les plus développées !

Aujourd'hui l'homme a moins à craindre de la nature que de ses propres excès. Les scénarios effrayants de la science-fiction sont devenus réels, confirmant l'intuition d'une Mary Shelley qui en 1817 intitulait son livre *Frankenstein ou le Prométhée moderne.* Victor Frankenstein a enfreint les lois divines : il encourt la punition infligée par Dieu. La créature née de ses mains se retourne contre lui, annonçant le risque que comporte la science. Frankenstein, en créant son monstre à partir d'organes trouvés dans un charnier et en transformant la mort en vie, a parfaitement conscience de franchir un seuil. Au contraire, la science aujourd'hui est parfois tentée d'ignorer les limites, surtout lorsqu'elle semble offrir à l'homme le moyen de réaliser son désir d'immortalité.

Quand la science s'empare de la maîtrise du vivant, que devient l'homme dans le monde ? Le débat qui oppose les défenseurs aux détracteurs des OGM illustre la peur qui entoure chaque nouvelle étape franchie par la science. Le clonage en est un autre exemple. Réservé à un usage thérapeutique, il pourrait contribuer au traitement des troubles du cerveau, en particulier les maladies de Parkinson ou d'Alzheimer. Mais les critiques stigmatisent l'instrumentalisation d'une matière à nulle autre pareille. La possibilité du clonage reproductif – transgressant un nouvel interdit – réactive les fantasmes les plus ambigus de l'homme, comme le désir de recréer à l'identique une personne, ou de donner naissance à des enfants sans aucune tare, doués de toutes les qualités. Le clonage humain évoque avec force les grands mythes du double et de la gémellité qu'illustrent *Le Double* de Dostoïevski ou le *Monsieur du Miroir* de Nathaniel Hawthorne. Mais tandis que ces récits fantastiques reposent sur l'angoisse du dédoublement et de la dissolution du moi, le clonage semble ouvrir à l'homme le champ infini des possibles. En façonnant un être à son exacte image, il égalerait Dieu. De l'infinité des corps à la transhumance des âmes l'homme a pris les rênes de la vie et de l'univers. Là encore, le revers de ses ambitions prométhéennes ne tarde pas à se manifester. Car le clonage rappelle, de façon troublante, le rêve d'aryanisation que le IIIe Reich, en proie à un délire eugénique, avait commencé à mettre en œuvre.

Dans notre monde désenchanté, la conscience ne semble avoir d'autre choix que d'épouser la raison technicienne et d'ignorer la prophétie d'Adorno et de Horkheimer, pour qui la raison est tout à la fois porteuse de tyrannie et d'émancipation. La technique s'impose comme notre nouveau destin, que résume la « loi de Gabor », selon laquelle tout ce que la technique permet de faire finit par être fait, quelles que soient les objections de la morale. Ce même sentiment d'impuissance parcourt la lettre qu'Albert Einstein adresse à Hermann

Broch pour le remercier de lui avoir fait parvenir son grand roman *La Mort de Virgile* en 1945 : « Ce livre me montre clairement ce que j'ai fui en me vendant corps et âme à la Science : j'ai fui le JE et le NOUS pour le IL du *il y a.* »

La technique n'est ni politiquement ni moralement neutre. Que faire quand la science bouleverse profondément le statut de l'homme, par exemple lorsque les théories darwiniennes définissent la loi de la nature comme celle du plus fort ? Quel sens conserve encore l'égalité, principe fondateur des droits de l'homme ? Les sphères de la science et de la politique peuvent-elles demeurer imperméables l'une à l'autre ? Au XXe siècle, le dévoiement de la science par les totalitarismes a provoqué des ravages : c'est Lyssenko inventant une théorie marxiste de la génétique, corroborée par de troubles expériences ; ou les biologistes nazis recréant une race « pure » d'aurochs, animal prétendument sacré dans l'hypothétique mythologie indo-européenne. Ces errements devraient résonner comme autant d'avertissements.

Ecrire un poème après Auschwitz ? La question posée par Theodor W. Adorno n'a pas fini de nous hanter. Comment l'humanité a-t-elle pu commettre l'irréparable ? Cette horreur déchire notre condition d'homme. Elle nous interdit la sérénité, en nous révélant les abîmes de terreur et de folie que parvient à creuser la raison humaine. La civilisation, l'idée même de civilisation, s'effondre dans le souvenir de crimes commis en son nom. Et pourtant, avons-nous compris, avons-nous entendu ? Les tragédies du Rwanda ou du Kosovo nous font craindre que la leçon de 1945 n'ait déjà été oubliée. Dans un monde global, la prise de conscience est l'affaire de tous, même si elle doit prendre en compte des temporalités et des lieux différents. Peut-on encore croire au progrès, puisque nous en sommes toujours à ce stade de notre vision éthique, après quelques millénaires d'histoire et leur tragique couronnement ?

A côté de l'ordre de la technique, prenant appui sur lui mais le dépassant et l'englobant, se dresse l'ordre du marché. Son extension planétaire participe d'un processus naturel, accéléré par les grandes découvertes de la Renaissance. La richesse devient le critère de réussite, y compris sur le plan spirituel. Emancipée de la tutelle politique et religieuse, son hégémonie peut se développer et gagner du Nord de l'Italie toute l'Europe. Grâce à l'accumulation des capitaux, à leur regroupement dans d'importants centres financiers comme Gênes où aboutit une grande partie des richesses jadis rapportées du Nouveau Monde par l'Espagne, les marchands mettent sur pied des réseaux qui refaçonnent la société en fonction de flux et de logiques nouvelles.

Un tournant s'amorce avec la révolution industrielle. Partie d'Angleterre, elle bouleverse les sociétés européennes. A la quête du bonheur par le progrès, qui a structuré la pensée politique des Lumières, tend à se substituer une approche purement économique, oubliant l'humain pour raisonner strictement en termes de profits et d'intérêts. L'utilitarisme détrône l'humanisme, ravale le travail au rang de simple marchandise et ignore les autres déterminismes sociaux : les êtres humains sont employés et licenciés selon les besoins de la production ; la logique économique l'emporte sur les autres formes de lien social. En définitive, l'aliénation, théorisée par Marx – la victoire d'une classe sur l'autre –, apparaît davantage comme la victoire d'une abstraction – le marché – sur les traditions, la religion ou même la raison qui plaide pour une alliance des hommes afin d'éviter les guerres.

A l'ère de la houille et du chemin de fer, l'usine et la mine découvrent les nouveaux ilotes de la modernité, un prolétariat misérable de « damnés de la terre » et de « forçats de la faim ». Derrière le printemps des peuples, 1848 marque la naissance du socialisme comme force politique. Un siècle de conquêtes sociales s'engage, durant lequel l'Etat, petit à petit ou par à-coups, s'érige en garant de la dignité humaine. Réduction du temps de travail légal, congés payés, établissement d'assurances maladie, retraites, salaire minimum, allocations familiales atténuent le sentiment d'insécurité sociale.

Au XXe siècle, cette mutation profonde de la société humaine atteint un nouveau palier : la mondialisation, appuyée sur la révolution des moyens de communication et de transport, abat tous les murs, décloisonne toutes les enclaves, s'insère dans les espaces les plus intimes et les plus protégés. Un nouvel âge s'ouvre avec la promesse d'une prospérité sans limite, assise sur la « nouvelle économie » des réseaux de communication électroniques. La richesse ne serait plus soumise à la rareté des ressources naturelles, mais déterminée par les potentialités illimitées de l'intelligence et de la manipulation des symboles.

Le triomphe du marché s'accompagne du développement de la démocratie et du fiasco des totalitarismes. Communismes et fascismes se retrouvaient dans la même haine viscérale du marché, le même culte pour les plans et l'économie administrée. Aujourd'hui, la Chine elle-même s'ouvre largement et rapidement au commerce. Là où il affirme résister, à Cuba, en Corée du Nord, le communisme prend eau de toutes parts et condamne les populations à la misère, dans une tentative désespérée d'établir une autarcie impossible, où ne prospèrent que les trafics et le marché noir.

Fluidité et réseaux sont les nouveaux mots clés d'une civilisation de l'instantané qui a aboli les distances et dénationalisé les économies. A l'ère de l'économie-monde, croissances, crises ou chutes se succèdent à un rythme effréné et concernent un nombre d'acteurs de plus en plus large. Alors que le krach de 1929 avait mis plusieurs années pour affecter l'économie française, un an a suffi au choc pétrolier de 1973 pour que l'Europe en ressente les effets, et les dernières décélérations boursières ont provoqué un contrecoup instantané. Porteuse de promesses infinies de développement, l'économie de marché crée les conditions de crises brutales et potentiellement globales. Un événement apparemment localisé peut fragiliser l'ensemble du commerce mondial.

Cette économie se montre d'autant plus vulnérable que le marché prétend fonctionner tout seul, animé par la « main invisible » évoquée jadis par Adam Smith. Imposant ses logiques, il condamne les politiques volontaristes, limite les interventions de l'Etat. L'abstention du politique est certes du goût des théoriciens du libéralisme économique, pour qui l'ordre spontané dépasse toujours l'ordre imposé ; mais la règle du marché repose sur un vide de valeurs. On peut se demander si le libéralisme économique, en instrumentalisant le libéralisme politique, ne l'a pas privé de sa substance. Derrière les idéaux d'égalité devant la loi, de libre accès aux emplois, de promotion sociale, derrière les valeurs fraternelles de 1789, s'avancent le matérialisme, la concurrence, l'individualisme débridé et, sous l'angélisme, l'égoïsme. La mondialisation globalise aussi la frustration : sans frein ni règles, l'économie de marché produit, en même temps que la prospérité de quelques-uns, la misère de beaucoup. La richesse grandit avec sa cohorte d'injustices, attisant le ressentiment de ceux qui s'en estiment les victimes.

La déchirure

L'humanité a préféré se noyer dans l'éphémère de la consommation, pour oublier ce qui restait de la densité et de la gravité des choses. Le déracinement offre de nouveaux horizons à la liberté, mais il découvre aussi les impasses du vide : l'avenir fait peur, le passé éveille les nostalgies, et le présent cultive les égoïsmes. L'angoisse qui sourd en ce début de millénaire est davantage celle d'un égarement que d'une fin de l'histoire. Elle fait redouter un processus en panne plutôt qu'achevé.

Comment en est-on arrivé là ? La mort de Dieu proclamée par Nietzsche a tourné la page d'un monde révolu. Un grand cycle ouvert par l'Ancien Testament s'est refermé : au début du livre de la Genèse, Dieu avait chassé l'homme de son jardin ; à la fin du XIXe siècle, l'homme croit pouvoir chasser enfin Dieu du sien ; auparavant, il s'était affirmé comme son égal. La Renaissance consacrait un émerveillement, une joie de la découverte et de la connaissance, une affirmation de l'homme – certes conflictuelle puisqu'en proclamant sa propre grandeur, celui-ci remettait en cause celle de Dieu. Opposés à Dieu comme Prométhée à Zeus, les humanistes payèrent parfois de leur vie le feu qu'ils voulaient conquérir. Ils ne souhaitaient pas pour autant la mort de Dieu, car ils reconnaissaient son existence et sa puissance en raison même de ce feu qu'ils voulaient lui voler : les clés de l'univers, la compréhension du monde et du cosmos, l'ordre dans lequel tout a été établi. L'art de la Renaissance vibre toujours d'une religiosité et d'une foi renouvelées. La peinture italienne, celle d'un Raphaël ou d'un Léonard de Vinci, exprime le sentiment religieux avec perfection et plénitude. Dieu, s'il n'est plus vraiment dans le cœur, se lit encore dans la sérénité du regard.

Mais très vite a commencé le combat de l'homme pour la vérité que la religion lui dérobait. On pense à la figure de Pascal dont le savoir ne suffisait pas à atténuer la douleur du doute et la détresse métaphysique. Ce lieu de l'âme où coexistent religion et raison, et qui vit encore dans la contemplation extasiée de la Divinité par laquelle Descartes clôt la troisième des six *Méditations métaphysiques*, l'époque des Lumières l'abolit brutalement. Elle nous fait entendre que l'émerveillement premier ne suffit pas, qu'il faut aller jusqu'au bout, radicaliser la raison, l'utiliser comme un élément corrosif contre les anciennes croyances, que l'on nomme désormais préjugés.

Une nouvelle philosophie se construit, concurrente du christianisme. Pour les matérialistes des Lumières, la science devient une machine de guerre contre la religion et contre la monarchie absolue. En affirmant qu'il ne forgeait pas d'hypothèses, Newton éradiquait du champ de la connaissance tout ce qui n'était pas de l'ordre des phénomènes, y compris le pourquoi du monde ; de ce fait, il affranchissait définitivement la pensée de la théologie.

La raison est passée sur l'homme occidental comme une tornade, violente et éphémère. Elle l'a libéré des dogmes qui l'entravaient mais elle n'a pas su donner naissance à un ordre juste et harmonieux. Jadis, les mots « honneur », « noblesse » ou « loyauté » étaient capables de régir la vie d'un homme : c'était le temps de ce que Max Weber appelle la « rationalité en valeur », le temps des chevaliers et des preux, le temps de la « civilisation du cœur ». Le monde d'aujourd'hui est dominé par une autre espèce, les enfants de ces marchands industrieux des Flandres qui triomphèrent avec la Réforme. La « rationalité en valeur » a cédé la place à la « rationalité en finalité », celle qui adapte les moyens aux fins.

Blasé de ses acquis et veuf d'espérances, l'Occident regarde se déliter les ressorts de ses grandes aventures collectives. Il ne sait plus comment penser ni agir. L'Alliance rompue, menaçant l'alliance même des hommes entre eux, l'Exode prend une autre forme : fuite en avant, dans le vide, d'un peuple seul avec lui-même, fier de son indépendance mais privé du sens de ce qu'il fait. Fuite en avant d'une humanité coupée de ses racines, cherchant, éperdue, à lire sur la carte confuse une position qui ne cesse de se dérober. Fuite du monde qui court et tourbillonne, comme une envolée de draperies dans une assomption baroque.

Après la mort de Dieu et les excès de la raison, l'homme cédera-t-il encore une fois à la tentation de l'irrationnel ? Ce retour ne révèle pas tant le besoin de nouveaux « grands récits » d'explication du monde que l'envie d'échapper à l'oppression d'une rationalité implacable, de préserver une part d'ombre et de mystère. Sans doute certaines religions traditionnelles ou nouvelles offrent-elles à des audiences croissantes des systèmes complets d'interprétation. Mais la montée de l'irrationnel constitue un phénomène de masse qui déborde la pratique religieuse. De la secte au fondamentalisme, s'expriment la même fusion de l'individu dans la collectivité, la même soumission exacerbée à Dieu, le même renoncement à exercer sa volonté. L'homme n'y reconnaît pas le sens perdu. Poussée dans ses extrêmes, la religion touche à l'absurde. En son nom, des fanatiques ont précipité des avions sur les tours de New York. La foi, exaltée jusqu'à l'inconséquence, risque de noyer la quête du sens dans une effusion de sang et d'incompréhension.

Pour restaurer la confiance perdue, aucune alliance nouvelle ne s'offre à nous. Les informations s'entrechoquent, les images déferlent cependant que les idées semblent fuir. La faillite du communisme, secoué par la révélation des crimes de Staline avant de s'effondrer sous le poids de ses propres contradictions, a sonné le glas des utopies que la modernité s'était plu à imaginer depuis Thomas More. Sur les propylées de marbre des cités idéales, le souvenir des totalitarismes sanglants du XXe siècle a fait passer un frisson rétrospectif d'angoisse. L'homme a renoncé à être l'architecte de son monde, à rêver son destin ; il s'est contenté de colmater peureusement des brèches qui ne cessent de s'agrandir.

Depuis le début du XXe siècle, nous savons qu'il faut faire le deuil du rêve d'unité qui, depuis deux mille ans, avait poussé l'humanité en avant. A Vienne, dans les années 1900, tandis que se fragmente l'Empire austro-hongrois, se brise aussi l'unité du réel, remise en cause par les physiciens, d'Einstein à Planck ; l'unité du moi est bouleversée par les découvertes de Freud, comme celle de l'art, vingt ans plus tard, est malmenée par les exubérances de l'Art nouveau et de Dada. L'homme constate qu'il faut apprendre à se passer de mythes, de référents, de vérité, de sens : « Il n'y a plus maintenant un homme total face à un monde total, constate Robert Musil, mais un quelque chose d'humain flottant dans un bouillon de culture général. »

Nous voici fatigués, accablés et inhibés par la surabondance de savoirs qui rapetisse la conscience. Cette atomisation du monde, il faudrait enfin oser l'affronter dans sa cruelle vérité, dans la pluralité et la contradiction, la liberté et l'impuissance. C'est dire l'énergie qu'il faut pour dégager de nouveaux chemins, trouver un nouvel élan, une nouvelle foi qui rendent l'alchimie possible. Mais nous avons renoncé à chercher la pierre philosophale de la politique moderne : comment faire tenir ensemble une société d'individus libres et égaux en droits, alors que nous avons coupé toutes nos attaches ?

La prise de conscience s'opère encore à Vienne, quelques années avant la guerre qui va emporter l'Empire austro-hongrois. C'est Hermann Broch qui désigne le centre géométrique de l'Empire : la loge vide de l'empereur, réservée pour lui dans tous les théâtres et qu'il n'occupe jamais. La métaphore de l'écrivain autrichien vaut encore aujourd'hui. Nos sociétés modernes semblent vouloir se construire autour d'un centre introuvable, car déserté par les valeurs communes. C'est la déroute même de la politique, ce théâtre des idéaux justement défini par Machiavel comme l'art de faire émerger un consensus sur une éthique partagée. Un vide s'est insinué au cœur de la démocratie, comme dans ces tableaux de Magritte où les personnages ont du ciel plein la tête.

Ce processus de délitement se répète aujourd'hui à l'échelle planétaire. Le monde peine à s'organiser car la mondialisation ne contient finalement aucune signification propre : la clôture de la planète débouche sur le vide. Même la mémoire s'absente, elle qui tissait les liens les plus solides au sein des peuples, jetait des ponts entre les continents. Prenons garde si nous ne voulons pas devenir des hommes sans racines, prêts à graver inlassablement sur les murs de l'histoire les mêmes aventures sanglantes. L'incertitude surgit devant la répétition inévitable des mêmes errements, comme si notre destin ne pouvait être que le bégaiement d'un imbécile, nouvelle version, après celle de Faulkner, de l'apostrophe désabusée de Shakespeare : « La vie est une histoire pleine de bruit et de fureur, racontée par un idiot et qui ne signifie rien. »

Du fond des âges, la Grèce nous rappelle pourtant que le destin implacable ménage à la liberté une place où s'exerce la dignité de l'homme. L'espèce humaine n'est pas, comme l'animale, écrasée par le déterminisme et la fatalité. Cette liberté, conquise par l'homme dans la conscience de sa finitude, nous devons l'ancrer aujourd'hui dans notre rapport au monde. D'abord en surmontant l'indifférence à la souffrance d'autrui. Ensuite en abordant les problèmes de front. Rien ne serait pire que d'admettre la permanence de crises, sous prétexte qu'elles ont toujours existé et qu'elles sont trop complexes pour essayer de les résoudre ou même de les comprendre. Ce n'est pas l'heure de renoncer à l'histoire, cette grande invention de l'homme désireux de se dresser contre le désordre.

CHAPITRE 2

L'ENGRENAGE

Lorsque, à la tombée du jour, se dressent brillantes de mille feux les villes bardées de certitudes, le voyageur découvre la loi du monde nouveau, morcelé, épars : labyrinthes obscurs où les hommes égarés cherchent à tâtons leur chemin, dans la hantise de ces monstres que les mythes entretiennent. Dédales inimaginables, aujourd'hui plus fréquentés que les routes commerçantes des empires de jadis. Confluence des temps qui se télescopent dans notre imaginaire collectif, façonné par un réseau d'images et de représentations dont les antennes vibrent en tous les points de la planète.

L'univers perd son unité, les peuples leur identité : en permanence tout se décompose et se reconstruit ; le mouvement libère sa propre énergie, sans que rien l'arrête. L'imaginaire tourne, les figures circulent, s'échangent et se transforment au gré des marées électroniques et médiatiques qui submergent chacun. Après la catastrophe, nous ressentons tous le même élan fraternel : aux côtés des Américains après le 11 septembre ; aux côtés des Algériens après le séisme de septembre 2003 ; aux côtés des Iraniens après le tremblement de terre qui, trois mois plus tard, a ravagé la ville de Bam ; aux côtés des Espagnols après les attentats du 11 mars 2004. D'un coup, nous découvrons nos parentés, nos similitudes, nos différences avec les autres peuples. Chaque jour, notre carte du monde évolue au fil d'événements et de retournements internationaux de plus en plus rapides et inattendus.

Vivantes comme une personne humaine, les crises vibrent avec les rythmes du corps et de l'esprit : à Madagascar, en Côte-d'Ivoire, en Iraq ou en Haïti. A la lenteur des signes précurseurs de la crise succède soudain l'éclatement après maints détours. Tantôt brusquement les esprits s'apaisent et les flammes retombent, tantôt l'incendie se propage. Agir en amont, à la racine du feu, sans tremblement, avec les soutiens les plus larges, la légitimité la plus forte pour inverser le processus : telles sont les règles fragiles. J'ai souvenir de ce silence assourdissant avant le fracas des larmes : à Caracas, j'avais treize ans lors du tremblement de terre qui martyrisa la ville. Tout s'était d'abord comme suspendu, puis les animaux avaient hurlé à la mort avant le long gémissement de la terre. Bien des années plus tard à Delhi, j'avais été fasciné par la douceur et la plénitude de Rajiv Gandhi, lors d'un entretien quelques jours avant sa mort. En pleine campagne électorale qui devait consacrer son retour au pouvoir, il fut victime d'un attentat alors qu'il recevait une couronne de fleurs à son arrivée dans un village près de Madras. Rejoignant l'ambassade à la tombée de la nuit, je voyais les brasiers s'allumer dans la vieille ville. Allait-on revoir les affrontements sanglants entre sikhs et hindous qui avaient marqué l'assassinat de sa mère quelques années plus tôt ?

Pour comprendre cette modernité, les périls, la violence et la complexité qu'elle recèle, nous ne pouvons nous contenter des lectures du passé, de l'alphabet que nous a légué notre histoire, des repères qui permettaient de fixer le cap. Nous voyons le piège se refermer sur notre destin, tandis que monte la peur qui fige la pensée et paralyse le mouvement. Peur de voir se répéter une fois encore la terrible révolution de cette roue infernale, qui précipite l'humanité dans le désarroi après lui avoir fait miroiter la possibilité d'un nouvel âge d'or. Peur de la mémoire qui nous enseigne ce dont l'homme est capable, peur aussi qu'aucun garde-fou ne parvienne à empêcher le pire. Peur surtout de voir s'effriter les valeurs fondatrices qui ont échoué à rassembler les peuples au sein d'une même quête et d'un même idéal.

Mais la peur aiguillonne la conscience : la tâche la plus urgente consiste à regagner la maîtrise d'un monde qui change.

Le labyrinthe

Longtemps, nous avons cru inamovible l'ordre des blocs. Le 9 novembre 1989, la chute du mur de Berlin est donc un choc. En moins de deux ans, le monde bipolaire de Yalta s'effondre sous les yeux des peuples et des Etats. Les hommes en sont réduits à réviser d'un jour à l'autre leurs grilles d'analyse, les cadres de pensée à travers lesquels ils avaient appris à déchiffrer le monde, à réviser leurs doctrines stratégiques, à oublier tout ce qui leur avait été enseigné pour dessiner un nouveau paysage géopolitique.

Les attentats de Manhattan et de Washington ont brutalement refermé cette parenthèse et dévoilé la face sombre de la mondialisation. Nous avons compris avec effroi que notre monde, celui de tous les possibles, était aussi celui de tous les dangers, de toutes les haines. D'autant que la ligne de partage ne se trouve plus entre deux pays ou entre deux continents : elle passe parfois au cœur même des pays. Nous sommes tous concernés : pays pauvres ou pays riches, continents du Nord ou du

Sud, victimes des extrémismes, de l'instabilité, de la violence aveugle. Occidentaux ou non, nous sommes tiraillés entre l'égoïsme des satisfactions matérielles et la conscience d'un destin global qui s'affirme, écartelés entre l'exaltation d'un monde qui change et l'abattement devant la montée apparemment inexorable des périls.

Voilà pourquoi nous devons nous engager dans le labyrinthe du monde pour essayer d'en saisir les détours et d'en déchiffrer le dessein. Nul ne doit craindre d'entreprendre le voyage, de faire sauter les verrous, de comprendre. Le développement planétaire de l'économie de marché a produit des effets ambivalents. Pour le club très fermé des pays riches et pour de nouveaux pays qui s'ouvrent et se développent, il signifie une prospérité grandissante. En même temps la mondialisation, le progrès scientifique et technique creusent les inégalités, accroissent la corruption. Alors que la maîtrise du savoir devient de plus en plus facile, dans la surabondance de l'information, seule une élite parvient à se repérer. Le progrès scientifique, porteur de victoires inouïes, ne favorise pas l'accès de tous aux soins. La maladie risque donc de devenir une nouvelle source de ressentiment envers les pays riches. Parce qu'ils n'ont pas pu suivre la course au progrès, des peuples sont laissés à l'écart, livrés à la misère, tandis que les mieux lotis se laissent gagner par l'égoïsme ou l'indifférence.

La mondialisation révèle d'autres aspects inquiétants : des organisations criminelles en constant mouvement, une violence grandissante à la fois plus diffuse et plus difficile à contrôler. Ces sociétés se substituent parfois à des Etats-nations en voie de décomposition, prenant le relais de forces publiques impuissantes et d'économies délabrées. Elles profitent de l'accroissement des échanges de marchandises et de services financiers, ainsi que de la circulation plus facile des personnes. Le désordre mondial ou l'absence temporaire de régulation efficace ouvre la voie à de nouvelles formes de violence.

L'activité mafieuse nourrit la corruption qui gangrène certains Etats. Le phénomène connaît aujourd'hui une ampleur particulière grâce à l'accélération des transferts de fonds opérés dans des conditions de plus en plus opaques. L'intensification des flux financiers facilite la circulation de l'argent sale ; son blanchiment s'est transformé en véritable industrie. Le crime organisé n'est pas étranger au développement du terrorisme. On l'a vu en Afghanistan où Al-Qaeda a largement bénéficié de la rente issue du pavot.

Les trafics d'armes et de drogue sont devenus les activités les plus lucratives des mafias. Impossible, désormais, de compartimenter les facteurs de désordre : la lutte contre le terrorisme doit être coordonnée avec les efforts de démantèlement des trafics illicites. Les multiples réseaux qui enserrent la planète favorisent la propagation du chaos. Les foyers de tensions régionales irradient à l'échelle du globe. Désormais, les enjeux deviennent mondiaux, les frontières sont perméables à l'instabilité. En effrayant les populations et les opinions, les crises risquent d'inciter les différentes communautés au repli et au rejet de l'autre. La paix sociale et la stabilité interne des Etats s'en trouvent menacées. Sentiment d'injustice et passion identitaire se conjuguent pour aviver les plaies.

Derrière la multiplication des crises se profile le scénario catastrophe de la fragmentation, de la division et de l'affrontement, envers tragique des utopies idylliques du « village global » imaginé par les enthousiastes de la mondialisation. Nous devons conjurer le risque d'une extension des crises, d'une conjonction des menaces, d'une propagation du désordre qui, par une sorte d'« effet dominos », embraserait la planète. Nous devons lutter contre un incendie de forêt aux départs multiples, attisé par des vents sans cesse changeants, avec des moyens toujours insuffisants et une détermination parfois chancelante face au hasard qui se rend maître de la partie.

Peu à peu la conscience se voit sommée de renoncer à l'ordre ancien. Du cœur même du savoir rationnel sont venus les signes annonçant une nouvelle ère marquée par la complexité. Au fur et à mesure que la science s'est perfectionnée, une profondeur insoupçonnée est apparue sous les équations simples et élégantes des savants du XIXe siècle. Aujourd'hui, les branches les plus avancées de la physique élaborent une théorie unifiée des forces qui gouvernent l'infiniment petit – l'intérieur de l'atome – et l'infiniment grand – le mouvement de l'Univers – dans des conceptions inaccessibles au néophyte.

Nos sociétés connaissent la même évolution. Le XIXe siècle aspirait à établir les lois quasi mathématiques d'une « physique sociale » qui fonderait la politique sur la raison. Aujourd'hui, au contraire, une part du désenchantement à l'égard de la politique se nourrit de ce sentiment de ne plus comprendre, de ne plus maîtriser, d'un divorce grandissant entre un peuple imprévisible et un pouvoir désorienté. Les idéologies s'affaissent. Les fractures sont moins nettes, moins profondes, et plus nombreuses. Les principes d'ordre anciens – castes ou classes – ont perdu de leur pertinence, les solidarités traditionnelles se délitent, tandis que les hommes s'inventent de nouvelles appartenances. Les comportements s'homogénéisent, mais les cultures s'affirment. Les aspirations des hommes, leurs réactions ne cessent de surprendre. Les trajectoires individuelles sont moins linéaires, souvent chaotiques. Les contradictions se nouent, l'absurde s'installe. Nous découvrons les lois de la relation, de l'interconnexion. Désormais, nous devons apprendre à vivre dans un univers où les causalités sont indirectes et souvent incertaines.

Ce qui vaut à l'intérieur de chaque Etat vaut sur la scène internationale. A mesure que s'abaissent les frontières, s'atténue la distinction entre dehors et dedans. Le système international revêt tous les traits des systèmes nationaux, à commencer par la complexité et l'imprévisibilité. La société mondiale vit dans les enchevêtrements d'une forêt vierge. Les Etats, s'ils restent les acteurs majeurs, n'ont plus le monopole des relations internationales. Ils doivent désormais compter avec d'autres partenaires qui sont autant de puissances nouvelles : ensembles régionaux, institutions multilatérales, organisations non gouvernementales, entreprises transnationales, diasporas ou réseaux mafieux. La puissance des firmes qui agissent à l'échelle mondiale peut se mesurer à celle de bien des Etats. Les normes internationales se développent et limitent la souveraineté étatique. Une société civile internationale émerge progressivement et commence à faire entendre sa voix sur la plupart des enjeux globaux, comme à l'occasion des réunions de l'Organisation mondiale du commerce ou du G8, de Seattle à Gênes ou à Evian.

Les flux migratoires instaurés entre les nouveaux Etats et les anciennes puissances colonisatrices ont maintenu liés les destins de ces pays. La décolonisation n'a pas fait table rase du passé. Une communication constante, des échanges multiples ont installé les cultures au cœur les unes des autres. C'est, par exemple, l'importance de la communauté maghrébine en France, les liens et les blessures de l'histoire qui confèrent une nature particulière à notre relation avec les pays d'Afrique du Nord.

Dans cet environnement, le manichéisme ne constitue plus une réponse, comme au temps de la guerre froide. La complexité du monde exige des processus de décision pragmatiques, expérimentaux et collectifs. La technique relie des univers qui avaient cru s'ignorer ; le temps et la distance s'abolissent ; ce qui importe aujourd'hui, ce sont les relations entre les hommes, les lieux, les organisations.

Hier, la frontière était la préoccupation majeure. Derrière fossés et palissades, les peuples se créaient un abri contre le monde extérieur. Par un instinct ancestral, chaque grande civilisation s'efforçait de marquer son territoire. Les Egyptiens fermaient le Nil en amont de la deuxième cataracte et transformaient ses hautes falaises rocheuses en forteresse. La nécessité de protéger sa frontière ou le désir de franchir celle de l'autre rythmait l'histoire des peuples et des Empires. Les nations se sentaient en sécurité derrière des fortifications, du *limes* romain à la ligne Maginot en passant par la Grande Muraille de Chine. Stratèges et économistes prônaient le protectionnisme et l'autosuffisance. L'Etat se voulait le maître chez lui.

Ces certitudes rassurantes ont volé en éclats. Les frontières sont devenues poreuses, quand elles n'ont pas complètement disparu. Nos destins se sont tissés de milliers d'autres, un nœud de causes et d'effets s'est resserré autour de nous. D'un côté, nous sommes plus libres, plus disponibles aux occasions qui s'offrent, nos existences sont moins prévisibles, moins linéaires ; d'un autre côté, l'aléatoire, le complexe nous entraînent dans un lacis inextricable d'interdépendance et rendent l'action difficile et incertaine. En fait de cage d'acier, ne s'agit-il pas plutôt d'une cage de verre, d'un labyrinthe de reflets et de miroirs sans architecte génial, mais produit de nos œuvres ? Le défi est-il de chercher un nouveau Minotaure à tuer, nourri par notre travail, par l'argent, les trafics, les flux migratoires ? Faut-il voir derrière les visages des contestataires les plus radicaux les nouvelles figures de Thésée ? Ou ne faut-il pas plutôt apprivoiser le labyrinthe pour ouvrir des fenêtres d'où regarder, échanger, bondir ?

Certains veulent croire qu'il suffirait de couper les ponts, de bâtir des citadelles, de fortifier nos murailles pour se retrouver à l'abri des menaces. Mais aujourd'hui la sécurité ne connaît pas de démarcation. La supériorité technologique du Nord, sur laquelle il fonde sa capacité à se protéger, est à double tranchant. Les groupes terroristes exploitent les avancées technologiques les plus récentes, se dotent de capacités logistiques et destructrices particulièrement meurtrières. L'interdépendance crée de nouveaux dangers, par exemple la prolifération des armes de destruction massive. Car il devient illusoire de penser que nous maintiendrons durablement nos prouesses technologiques dans nos laboratoires et nos frontières.

La perception du temps a changé aussi. Pendant des siècles, les hommes ont éprouvé le monde sur le mode de l'éternel retour. Le cycle familier et rassurant de vastes périodes cosmiques liait leurs destinées aux mouvements de la voûte céleste. La pensée mythique interprétait les lois de la nature selon un schéma de répétition, de régularité, de changement. En ces temps, plus près que les nôtres de la création du monde, temps des dieux et de la magie, les hommes croyaient au destin ; ils n'allaient pas tarder à croire en la grâce, en la prédestination. Les augures, devins, prophètes ou haruspices étaient chargés de déceler les signes avant-coureurs de l'incendie qui menace ou d'entrevoir la lueur du renouveau. C'était l'âge des oracles et des sibylles, un âge où les hommes parlaient aux dieux, où des portes magiques entrouvertes sur les secrets du temps mettaient en communication l'ici-bas et l'au-delà.

Le grand défi de la modernité aura été de rejeter la vision cyclique des âges de l'humanité pour celle d'un mouvement linéaire et ininterrompu : pour la première fois les hommes affirment leur foi dans l'avenir. La civilisation occidentale s'érige en déesse promise à l'immortalité. Tout à l'exaltation de leurs découvertes, les hommes, subjugués, croient qu'il n'y a pas de bornes aux possibilités de connaissance offertes par les sciences exactes. Persuadés de pouvoir tout connaître, ils pensent pouvoir tout prévoir.

Sommes-nous capables d'assumer qu'en réalité rien n'est acquis d'avance ? Tout est mouvement, incertitude : les dragons asiatiques, sortis en quelques années de la misère, sont menacés par la stagnation tandis que l'exemple japonais, encensé dans les années 1980, fait figure de contre-modèle dans les années 1990, avant de retrouver le chemin de la croissance. Un problème chasse l'autre, créant le sentiment d'être toujours en retard d'un événement, dans un rythme accéléré par la civilisation de l'image. Le temps qu'avalent les machines, l'homme ne le retrouve pas. Nous courons haletants derrière une perpétuelle alerte qui s'impose même dans les activités humaines naguère encore réglées sur des facteurs essentiels : la maîtrise du temps et la respiration de l'histoire. Elle renouvelle profondément la politique devenue une lutte de l'instant, un combat permanent cerné par les urgences du présent. La politique y gagne un contact plus étroit avec le quotidien, mais elle y perd le souffle, la hauteur et la durée, condamnée à papillonner d'une crise à l'autre, dans un déferlement d'images.

L'Occident a déjà connu bien des périodes de troubles et de chaos. C'était l'angoisse des Romains voyant l'Empire céder sous la déferlante des invasions barbares, contemplant, stupéfaits, la chute de la Ville éternelle, prise par Alaric en 410. C'était l'inquiétude du Moyen Age, déchiré entre guerres, invasions, épidémies, écartelé entre ordre féodal et monarchique, entre empire et royauté. C'était aussi l'Europe des rois confrontée à l'irruption de la Révolution puis à l'hégémonie napoléonienne. C'est encore le *spleen* du XIXe siècle, blasé de modernité et de progrès, vitupérant la décadence de l'esprit, la crise des années 1930 ou le malaise des années 1970.

A chacune de ces époques, la peur a investi le cœur des hommes : peur de la mort, bien sûr, qui peut désormais frapper à tout moment, et sans avertissement, un monde exposé à toutes les folies ; mais peur aussi des maladies, maladies nouvelles surgies de nulle part, maladies oubliées soudain réapparues et résistantes aux traitements qui, hier, les terrassaient ; peur de perdre son identité, dans une époque où chaque être est sans cesse battu par tous les ouragans. Cette peur devant un avenir incertain nourrit la crainte du déclin : elle saisit particulièrement notre Europe « aux anciens parapets » que Rimbaud a tant voulu quitter.

L'appel du vide

Condamnés par le destin, faut-il une fois de plus renoncer à nos idéaux et redevenir ces éternels guerriers ? Des appels s'élèvent à travers le monde, porteurs d'une exigence renouvelée de justice et de solidarité. Une conscience mondiale se répand à travers les peuples, refusant le simple jeu des intérêts et les rapports de force. Le respect des droits de l'homme, le refus de toute forme d'impérialisme sont devenus de véritables leitmotive des sociétés civiles. A la faveur de la mondialisation et de la prolifération médiatique, les images de la détresse de certaines populations opprimées, la misère effroyable dans laquelle sont plongés certains pays, sont désormais connues de tous. Et l'on se prend à rêver : venir à bout de tyrans inamovibles, régler des crises sans issue, couper court aux épidémies qui ne cessent de décimer les pays les plus pauvres. Devant les lenteurs et parfois l'impuissance de la communauté internationale la tentation est grande des raccourcis.

Cependant le chemin le plus court s'avère parfois périlleux. Les enseignements anciens et les sagesses immémoriales le disent : certes, la force peut décapiter l'hydre, mais loin d'éliminer le monstre, elle crée les conditions pour que ses sept têtes repoussent, revigorées et plus meurtrières encore. Hercule même, pour la vaincre, dut allier la ruse à la force.

Après la Seconde Guerre mondiale, et pendant près de cinquante ans, l'ordre du monde fut assuré et garanti par la dissuasion nucléaire. L'utilisation de la bombe atomique à Hiroshima et à Nagasaki démontra le potentiel de destruction des frappes nucléaires et donc l'importance stratégique qu'allait revêtir la maîtrise de l'atome militaire. Les Etats-Unis comprirent qu'ils détenaient la clé de la sécurité du monde. Leur rival soviétique réalisa qu'il était vital pour lui de faire jeu égal et, quatre ans plus tard, acheva la mise au point de sa propre bombe à fission. Lorsque la Chine rejoignit, en 1964, le club des puissances nucléaires, les cinq membres permanents du Conseil de sécurité des Nations unies avaient tous la maîtrise de la technologie atomique. La compétition entre eux, et particulièrement entre les Etats-Unis et l'Union soviétique, se déplaça alors à la périphérie, par pays interposés, et sur le terrain quantitatif : toujours plus de têtes nucléaires, toujours plus de vecteurs, déployés sur terre, sous la mer et dans les airs, pour être en mesure d'anéantir l'adversaire avec la plus forte probabilité de succès et dans le délai le plus bref.

L'Occident, comme le monde communiste, savait que le recours direct à la force entraînerait des deux côtés des dommages incalculables. La guerre signifiait l'échec de la dissuasion, et l'inconcevable apocalypse. Le problème de la paix et de la guerre quittait la sphère de l'exigence juridique et morale pour entrer dans celle de la raison technicienne, surplombée par la menace de la destruction nucléaire. La paix dépendait de la force, mais la force se retournait contre elle-même pour ne pas avoir à servir effectivement. L'arsenal nucléaire, en raison de sa suprématie sur les moyens conventionnels, permettait une quantification précise et une comparaison des forces en présence : la sécurité du monde dépendait du respect d'équilibres quasi mathématiques.

Avec l'effondrement du bloc communiste et la fin de la guerre froide, la force retrouve son rôle. Une multitude de crises ont éclaté face auxquelles le recours aux armes, loin d'être tabou, s'est banalisé. Aux affrontements interétatiques classiques s'est ajouté le besoin accru d'opérations de police internationales, appuyées sur des moyens militaires conventionnels. L'engagement des troupes, de plus en plus fréquent, répond à la volonté des pays démocratiques de défendre leurs valeurs à l'extérieur de leurs frontières ou de faire face aux risques de grandes catastrophes. Je me souviens du génocide rwandais, quand la détermination d'Alain Juppé, ministre des Affaires étrangères, à engager l'opération humanitaire emporta toutes les hésitations. Oui, toujours cette double exigence dans un monde en mouvement, de fidélité aux principes et de promptitude dans l'action. A l'instar de Jacques Chirac ordonnant la reprise du pont de Verbania en Bosnie, n'admettant pas que nos forces au sein de l'Onu puissent servir de cible sans disposer des moyens de se défendre. L'extension de la démocratie et des droits de l'homme met en avant des concepts tels que le « droit d'ingérence », théorisant l'usage nécessaire de la force dans des circonstances particulières.

Ainsi se rejoue à l'échelle planétaire le débat qui se trouve au cœur du pacte fondateur de toute société entre la force et le droit. L'utilisation légale de la force renvoie à la question de sa légitimité, de la situation qui l'autorise ou encore du pouvoir qui l'exerce. En effet, la souveraineté, ou exercice légitime du pouvoir, se définit par la capacité à commander et à contraindre ; or la force constitue l'autre fondement de la contrainte. Aucun régime ne peut se permettre d'y renoncer, car elle forme l'assise même du pouvoir, on pourrait dire qu'elle participe de son essence. Mais, dans les sociétés modernes, elle obéit à des règles très complexes et précises. Il faut donc fixer les conditions de sa légitimité, et par conséquent les situations dans lesquelles son usage n'a pas lieu d'être et doit être combattu : l'équilibre de la société repose très largement sur cette économie de la violence.

Dès 1945, la société internationale a pris acte de ce schéma à travers l'Organisation des nations unies. Sa Charte admet que le recours à la force demeure nécessaire, et parfois même indispensable. Mais elle met en place des règles qui lui confèrent un caractère de légalité internationale. Un principe simple fonde l'édifice : en présence d'une agression ou d'une menace contre la paix, le Conseil de sécurité est seul habilité à décider du recours à la force. L'application de ces règles fut longtemps inhibée par la guerre froide. Avec la dislocation de l'Empire soviétique, les mécanismes destinés à encadrer l'usage de la force dans les relations entre les Etats sont à même de jouer pleinement leur rôle. Or les néo-conservateurs américains ont rétabli la raison du plus fort qui, transformée en raison d'Etat, a pris le pas sur la règle de droit.

Les Etats-Unis, patrie de l'idéalisme wilsonien et des Nations unies, ont de nouveau opté pour l'unilatéralisme, autre pôle de leur doctrine diplomatique. Seule grande puissance capable d'exercer sa domination à l'échelle de la planète, les Etats-Unis disposent d'une supériorité incontestable sur les plans stratégique, technologique et militaire ; leur territoire ne fait l'objet d'aucune menace majeure, même si le 11 septembre a révélé une certaine vulnérabilité ; leur culture pénètre largement le reste de la planète ; les entreprises américaines sont les principales bénéficiaires de la mondialisation qui vaut au pays une croissance forte. Enfin, la domination américaine repose sur l'affirmation d'un certain nombre de valeurs et de principes.

Cette suprématie contraste avec l'effondrement de certains Etats et son cortège d'effets pervers : Etats voyous, paradis fiscaux, développement du terrorisme, des mafias, des conflits régionaux. La remise en cause d'une telle souveraineté redonne *ipso facto* du crédit au modèle impérial. Nouvel âge impérial ou nouvel âge collectif : nous sommes devant cette alternative, devant deux conceptions de l'unité du monde : conception impériale, fondée sur la force et la domination, la loi du plus fort, l'ordre et l'autorité ; conception démocratique, fondée sur la solidarité des intérêts et, si possible, des valeurs.

Les Etats-Unis, forts de leur « moment unipolaire », donnent l'impression de réaliser la prédiction lancée par

Theodore Roosevelt en 1898 : « L'américanisation du monde est notre destinée. » La révolution stratégique opérée à Washington place l'Amérique face à une configuration idéologique qui, dans son histoire, s'avère tout à fait inédite. Jusqu'alors, en effet, quand elle ne cédait pas à l'isolationnisme, son projet était d'instaurer un nouvel ordre international reflétant ses valeurs démocratiques. Après la Seconde Guerre mondiale, Franklin D. Roosevelt voulut ainsi créer un monde multipolaire réconcilié autour du système des Nations unies, mais la guerre froide rendit la tâche impossible. Plus tard, en 1991, au lendemain de la guerre du Golfe, George Bush promettait encore « l'avènement d'un nouvel ordre mondial où le règne de la loi, et non celui de la jungle, gouverne la conduite des nations ».

Pour la première fois de leur histoire, les Etats-Unis prétendent fonder leur suprématie autant sur leur supériorité militaire que sur les valeurs dont ils sont porteurs ; une conjonction inattendue entre unilatéralisme et messianisme se dessine. L'Amérique entend établir la paix et la démocratie par la force. Cette ambition apparemment paradoxale repose sur un souci d'efficacité et de pragmatisme, deux valeurs fondamentales de sa civilisation et de son éclatante réussite matérielle. Ce changement complet de paradigme constitue un véritable tremblement de terre stratégique et diplomatique, comparable, par son ampleur et son caractère inattendu, au renversement des alliances européennes en 1756.

En se donnant une mission, celle de lutter contre le mal – qu'il s'agisse du terrorisme, de la prolifération des armes de destruction massive ou des Etats voyous –, George W. Bush se démarque à la fois de la politique étrangère que son père avait mise en œuvre au lendemain de la chute du mur de Berlin et de celle de son prédécesseur immédiat Bill Clinton. Il s'octroie ainsi des marges de manœuvre politiques face à une situation intérieure confuse, car seule la sphère internationale, aujourd'hui entretient encore l'illusion que rien n'a changé : elle est la seule où l'Etat peut exercer son monopole légal de l'usage de la force sans trop de contraintes, alors que, dans l'ordre interne, la violence étatique fait de plus en plus l'objet d'un rejet massif ; la seule où il conserve une certaine capacité d'action, avec un soutien de l'opinion plus aisément acquis, des enjeux moins directement liés aux conflits d'intérêts internes, une légitimité politique encore pleinement reconnue.

L'Europe saura-t-elle faire entendre sa voix, elle qui a appris si durement, au cours de son histoire, à se défier de l'usage inconsidéré de la force, elle qui a appris qu'il était plus facile de déclarer la guerre que d'y mettre fin ? En 1914 le bellicisme faisait rage de part et d'autre du Rhin car chaque adversaire s'imaginait l'emporter rapidement. Pourtant, pendant quatre ans l'Europe se déchira dans un effroyable bain de sang. Le refus de la guerre, le « plus jamais ça » tant invoqué à partir de 1918 n'empêcha pas notre continent de plonger deux décennies plus tard dans un nouveau conflit. Depuis, la force éveille de ce côté-ci de l'Atlantique plus de méfiance que de fascination. L'esthétisme fin de siècle qui glorifiait la régénération par la force d'une civilisation décadente a ouvert la voie, au XXe siècle, à deux guerres mondiales et au déchaînement d'une barbarie inimaginable. Il existe sur ce point une différence de perception entre l'Amérique et l'Europe, différence qui s'alimente aux blessures de l'histoire, au sentiment du tragique qui nous étreint fortement, de ce côté-ci de l'Océan.

Si les héritages historiques déterminent notre rapport à la force, nous constatons chaque jour que les facteurs de la puissance ont évolué. Désormais le facteur culturel doit être pris en compte au même titre que d'autres plus traditionnels : géographiques, démographiques, militaires, géopolitiques ou économiques. La puissance ne passe plus uniquement par la force et la guerre. Dans un monde plus poreux, où les informations circulent de manière intense et rapide, l'image qu'on donne de soi, la séduction qu'exerce le modèle qu'on incarne, la capacité de convaincre et de susciter l'adhésion importent autant que le pouvoir de contraindre et le nombre de divisions qu'on aligne. Parmi les bouleversements que subit le monde, cette révolution de la puissance est l'un des plus importants.

Car la puissance seule apparaît bien souvent comme une puissance vide, incapable de prendre en compte de nouveaux facteurs à la fois difficiles à saisir et extrêmement réactifs. Le raidissement des revendications culturelles et religieuses dans le monde arabo-musulman nous échappe, notamment parce que nos sociétés occidentales n'ont pas été confrontées à la même menace de dépossession identitaire. Le retour du religieux en Orient suscite dans le reste du monde plus de malaise que de compréhension. Or les mots d'ordre religieux et culturels sont plus que d'autres allergiques à la volonté de domination et à l'exercice de la puissance.

L'excès de puissance mine la puissance : c'est la grande leçon de la modernité, de notre civilisation technicienne qui connaît le prix de son aveuglement. Les réactions que la domination technologique suscite dans le monde nuisent à l'autre pilier de la puissance américaine : l'influence de sa culture et le rayonnement de son mode de vie. Par ailleurs, l'importance des dépenses militaires conduit à distordre l'allocation des ressources budgétaires au détriment de secteurs également importants pour la santé de l'économie et son dynamisme commercial, de plus en plus concurrencé par les pays émergents. La société américaine résistera-t-elle à une telle militarisation ? Celle-ci risque en effet de contredire les valeurs de liberté, de démocratie et d'individualisme libéral qui la fondent. N'est-ce pas l'identité même du pays – créé par ceux qui fuyaient les puissances hégémoniques et belliqueuses de la vieille Europe – qui est en jeu ? Le déploiement de sa supériorité militaire oblige aujourd'hui l'Amérique à occuper les pays dans lesquels elle intervient, à devoir les administrer et les financer. Face à ce défi nouveau, auquel son histoire l'a si mal préparée, elle constate qu'il ne suffit pas de disposer de la plus grande armée du monde ou d'avoir les moyens d'agir n'importe quand et n'importe où ; il faut également pouvoir s'appuyer sur une compréhension véritable et profonde des nouveaux enjeux.

Dans un univers régi par des lois complexes et hanté par des menaces globales, c'est bien le concept de puissance qu'il nous faut revisiter. Si les déterminants traditionnels de la puissance continuent de jouer un rôle, leur pondération a été sensiblement modifiée. Le pouvoir économique dépend de moins en moins de l'abondance des ressources naturelles et de la main-d'œuvre. La capacité militaire, socle traditionnel de la puissance, est devenue un concept flou. Le développement d'armes nucléaires ou bactériologiques a relativisé les facteurs traditionnels de la suprématie comme la superficie, la démographie ou les ressources naturelles. Le naufrage du bloc communiste et la fin de la guerre froide ont sapé les fondements des doctrines traditionnelles sur l'emploi des armes ; les nouvelles menaces émanent plus souvent de micro-puissances, voire de puissances effondrées, que de grandes puissances traditionnelles.

Cette mutation s'opère en même temps qu'une profonde transformation du pouvoir, de ses modes d'exercice et de sa perception. Au niveau des Etats, le désenchantement à l'égard de la politique et la montée du scepticisme qui accompagne l'affaissement des idéologies semblent le condamner à s'épuiser sur les tréteaux de la société du spectacle. Au niveau mondial, le besoin de règles ne rencontre qu'un vide de pouvoir.

En réponse, l'Amérique propose sa force et sa volonté de dessiner un ordre nouveau, avec le risque de faire surgir des menaces asymétriques et de coaliser les oppositions. Plus visibles que toute autre puissance, les Etats-Unis suscitent crainte et ressentiment, là où leur crédit et leur rayonnement leur promettaient un privilège éternel. Le 11 septembre a révélé l'ampleur des bouleversements. Quand le faible peut faire chanceler le fort, quand des idéologies bafouent les droits les plus élémentaires, le recours à la force ne constitue pas une réponse suffisante. Plus que des armes aujourd'hui, pour créer de l'ordre et dénouer des tensions, il faut une conscience et de l'exemplarité.

Le monde contemporain a besoin d'un principe d'organisation de la puissance qui s'accorde avec les données nouvelles de notre époque : le caractère central de la technique et de ses enjeux, la prégnance des facteurs culturels, l'assomption de l'individu et l'avènement d'une société globale. Dans ce contexte, il s'agit de trouver un équilibre entre l'exigence de l'action et les leçons de l'expérience. De renouer aussi avec la sagesse antique qui nous apprend que seule la modération rend acceptable la puissance. Thucydide nous l'enseigne : il n'y a rien d'admirable à avoir vaincu par la force, mais en revanche il est digne d'éloges de s'être montré juste et équitable alors même que l'on avait le pouvoir d'agir selon ses désirs et ses intérêts. La force ne peut, à terme, se passer de la légitimité que seul le droit lui confère, sauf à s'engouffrer dans un engrenage de violence.

La dislocation

Nous sommes tous les spectateurs angoissés de la terrible course de vitesse engagée entre les forces de l'ordre et celles du désordre. Jamais l'issue de ce combat n'a semblé plus incertaine. Sur le plan politique et stratégique comme sur le plan des valeurs. La recherche d'un système capable d'assurer la justice et la sécurité dans le monde implique de s'accorder sur les idées que l'on veut défendre, sur les fondements de cet édifice.

L'humanité peut-elle espérer un jour partager des valeurs communes ? L'universalisme ne fait plus l'unanimité, qu'on y renonce par désabusement ou qu'on le soupçonne de masquer une volonté impérialiste. « Tout humanisme comporte un élément de faiblesse, qui tient à son mépris du fanatisme, à sa tolérance et à son penchant pour le doute, bref, à sa bonté naturelle et qui peut, dans certains cas, lui être fatal », écrivait Thomas Mann. Les excès du scepticisme ont disloqué la foi en la raison et conduit à douter de l'humanisme. Le décalage s'amplifie entre le discours sur la tolérance, le respect de l'autre, les droits de l'homme, et l'incompréhension grandissante qui oppose les peuples et les cultures. Nos sociétés s'observent tous les jours par écrans interposés et pourtant la méfiance demeure. Les amalgames se multiplient, par exemple dans la perception de l'Islam par l'Occident. Le terrorisme, l'intégrisme religieux, les événements du Moyen-Orient réactivent en Europe et ailleurs cette conviction qui ne s'avoue qu'à mots couverts d'un Orient imperméable à la modernité.

Pendant deux millénaires d'ère chrétienne, l'Evangile a proclamé cette étonnante nouvelle : l'homme est un, l'humanité est une et elle a un destin commun : « Il n'y a ni Juif ni Grec, il n'y a ni esclave ni homme libre, il n'y a ni homme ni femme ; car tous vous ne faites qu'un dans le Christ Jésus. » Ainsi commençait une nouvelle ère, en rupture avec la pensée antique. Comme le formule en creux la parole de saint Paul, les différences entre les religions ne comptaient pour rien face à un Dieu rédempteur. L'égalité devant le Créateur met fin aux mécanismes d'exclusion pratiqués par la société grecque. Au fil des siècles, l'universalisme humaniste s'est donc incarné dans divers idéaux religieux, éthiques ou philosophiques, de la philosophie de la Renaissance à celle des Lumières, du positivisme à l'existentialisme. Ces idéaux étaient producteurs de promesses et d'espérances.

Mais, alors même que l'unité du monde et de l'humanité semble désormais une réalité concrète, l'universalisme semble avoir perdu son sens. L'avènement de la mondialisation, loin d'en être le triomphe, entraîne un mouvement de crispation sur les particularismes les plus étroits. Paradoxe d'une époque qui voit se fragmenter à l'infini le monde de la guerre froide et se multiplier les Etats souverains alors même que la souveraineté est sans cesse contournée. Paradoxe quand à la fin de l'équilibre de la terreur succèdent les flambées de violence nourries de la rivalité des clans, de la voracité des mafias et des croisades meurtrières des fanatismes. Paradoxe de ce moment de l'histoire où se croisent la fin du dernier grand totalitarisme et l'avènement planétaire d'une démocratie se figeant dans l'abstention et le découragement des citoyens. Du coup, l'éclatante victoire du camp démocratique, qui devrait être la bonne nouvelle de notre temps, ne débouche pas sur une ère d'optimisme. Point d'avenir radieux ; au contraire, le vainqueur, et avec lui le monde entier, se sent défaillir comme si le sol se dérobait sous ses pieds. La démocratie a gagné la bataille de la légitimité historique, celle du meilleur régime possible, capable de s'imposer y compris là où son enracinement paraissait naguère le plus improbable. Et pourtant, au moment même où elle l'emporte, se pose le problème de son avenir et de sa capacité à mobiliser les peuples.

L'esprit s'épuise à recenser ces déroutants paradoxes. Conserver devient le mot d'ordre. L'époque frileuse, sans générosité, sans foi et sans élan, suscite des indignations de commande, des poussées d'irrationnel qui, loin de révéler une vitalité retrouvée, inquiètent comme des signes avant-coureurs d'une grande nuit prête à engloutir l'esprit. Toute signification commune semble avoir disparu. Chacun, encouragé par la victoire de l'individualisme, se réfugie dans son temple, mélange singulier de valeurs anciennes et nouvelles, choisies à la carte, en nombre et en proportion variables, selon le besoin. Tout lien entre ces monades repliées sur elles-mêmes paraît rompu.

Après avoir redouté le dogmatisme idéologique, nous voici confrontés au délitement des valeurs, à l'abandon de l'exigence universelle. Car la mondialisation permet à de nombreux pays, à la plupart des sociétés et des religions de faire entendre leur voix dans une polyphonie qui rend d'autant plus complexe l'expression de l'universel. L'universalisme ne peut plus se soustraire à l'épreuve du réel. Les idéaux doivent s'incarner en actes pour susciter durablement l'adhésion. La mondialisation a exacerbé l'affirmation des identités, en particulier des plus fragiles. Or, si le respect des cultures et des peuples contribue à l'avènement d'un monde plus juste et plus pacifique, les excès des revendications identitaires l'entraînent inévitablement vers la folie meurtrière et la barbarie. L'histoire des deux derniers siècles a illustré de manière tragique l'ambivalence des identités, source à la fois de cohésion et d'affrontements.

Les espoirs nés de la chute du mur de Berlin ont largement dissimulé la force persistante de l'aspiration à l'identité. Non sans mépris, on considérait qu'il s'agissait là de réflexes archaïques qui ne résisteraient pas à l'avènement d'un âge démocratique mondial. Le démenti vint des Balkans ; alors que l'Europe célébrait son unité retrouvée, la Yougoslavie se morcelait selon des lignes de fracture considérées comme dépassées : religion, droit du sang, haine ancestrale, intolérance. Souvenons-nous de notre effroi et de notre stupeur face au retour, en Europe même, de la guerre civile et religieuse, des massacres aveugles et du nettoyage ethnique. Les plaies restent profondes et les blessures lentes à cicatriser.

Jadis, le monde avait mis au point une forme politique capable de faire coexister durant des siècles des identités multiples : l'empire. En Orient, au sein de l'Empire ottoman, les nationalités se construisaient moins en opposition l'une à l'autre que dans le brassage et la mixité des ethnies, des religions et des langues. A Smyrne, Istanbul ou Salonique, l'harmonie des agencements architecturaux n'avait d'égale que celle qui ordonnait la coexistence d'une foule cosmopolite. De même, les grandes villes de l'Empire austro-hongrois, Vienne, Prague ou Budapest, rassemblaient une population mélangée. Les tensions qui, au sein de ces vastes ensembles, apparaissaient parfois entre communautés différentes, tenaient le plus souvent à des problèmes d'ordre économique. Les identités, en tant que telles, ne formaient pas encore un motif d'affrontements.

Mais à la fin du XIXe siècle, les empires se voient bientôt handicapés par rapport aux Etats-nations modernes, plus efficaces car plus structurés ; incapables de se prévaloir de la même homogénéité ni, par suite, de la même cohésion, ils sont empêchés par la mosaïque des identités d'atteindre un degré élevé de centralisation. Le modèle vertical de l'Etat-nation inspire les revendications des minorités vivant dans les grands ensembles multinationaux, alors même qu'il éprouve bien des difficultés à les faire vivre en son sein et scelle souvent une absorption inévitable. Cette frustration et cet héritage de blessures vivaces ont resurgi à travers les conflits des Balkans.

Pour des raisons différentes, l'Afrique a, elle aussi, cruellement souffert des conflits identitaires. Ce continent vit au rythme d'un double mouvement : celui d'une organisation régionale garante de paix et de stabilité ; mais également des déchirements ethniques dont le génocide rwandais a signé le retour tragique. Le grand continent noir nous offre un tableau contrasté qui inclut, d'une part, la réconciliation historique en Afrique du Sud après des siècles d'apartheid, d'autre part les conflits de plus en plus fréquents et violents entre ethnies rivales.

Léopold Sédar Senghor avait ouvert pour l'humanité entière un chemin : celui de l'approfondissement de chaque identité dans le brassage des cultures. « Nous sommes des métis culturels », écrivait-il en 1954 dans la postface d'*Ethiopiques*. Senghor montre qu'à travers la fidélité à la terre natale, au « royaume d'enfance », on parvient à aborder l'autre sans ressentiment : la France, puissance colonisatrice, et le français, langue imposée et finalement choisie. Renouvelant l'héritage de Rimbaud, il trace la voie d'une coexistence possible entre des identités enracinées et parfois opposées par l'histoire. Grâce à son témoignage, grâce aux échos de Césaire et de tous les passeurs pour qui le « pays natal » révèle à la fois la trace de soi et du monde, la négritude participe à l'universel.

L'histoire du continent blessé nous renvoie à ces siècles d'échanges, de confrontations et d'inventions que l'Europe a longtemps eu du mal à intégrer dans sa propre mémoire. Ce brassage s'est fait d'abord au rythme des migrations quand le Sahara est devenu le plus aride des déserts à partir du Ve millénaire avant notre ère. La vallée du Nil s'est alors transformée en lieu d'échanges entre l'Afrique noire, le Proche-Orient et le Bassin méditerranéen. Songeons également à la traversée des âges du peuple peul, qui a réussi en permanence à intégrer de nouveaux arrivants, à adopter des hommes et des techniques venus d'ailleurs, et de nouvelles formes d'organisation politique sans pour autant perdre son identité.

Le grand mouvement du brassage des cultures en Afrique a suivi les routes du commerce et le sillage des caravanes qui, depuis deux millénaires, relient les deux pôles du Sahara. Comme le sel et l'or, les peuples, les coutumes et les religions ont lentement transité le long des chemins tracés par l'homme. C'est l'ère des Grandes Découvertes et le début de la traite des esclaves en 1510 qui ont brutalement mis fin à ces formes progressives de rencontre. La colonisation a imposé à ces peuples des langues et des modèles économiques étrangers. L'institutionnalisation de l'*apartheid,* en 1948, contredit l'histoire du continent, puisqu'elle consiste très exactement à empêcher toute forme de contact entre les races et à diffuser une peur du métissage.

En dépit de cette violence, l'Afrique a sauvegardé l'originalité et la profondeur de ses traditions. Elles fleurissent dans la profusion de langues entendues dans ses grandes villes, elles respirent dans la diversité de peuples et de religions qui constituent chaque pays, et se libèrent dans une polyphonie résistant à toute volonté d'assimilation. Son exemple demeure indispensable, car elle détient le secret d'un enrichissement fondé sur la rencontre de l'autre. Dans les grands récits traditionnels de l'ouest de l'Afrique, une fondation ne commence jamais sans une rencontre, une alliance avec l'autre venu d'ailleurs, chasseur ou guerrier. Le mariage et l'échange de savoirs, de compétences ou de divinités scellent cette fusion.

Cette richesse semble hélas se retourner contre le continent africain, traversé de courants qui exacerbent les différences, rejettent les héritages extérieurs et recherchent les origines d'une pureté imaginaire. Au syncrétisme des cultures a succédé la tentation de stigmatiser l'autre. Si bien qu'aujourd'hui l'horizon dessiné par Senghor semble en danger, au moment même où il constitue peut-être une dernière chance pour l'homme, au Nord comme au Sud de la planète. La globalisation introduit la modernité dans les sociétés traditionnelles, détruit les repères anciens, expose au déferlement de l'image et des moyens de communication.

Si la modernité ébranle l'autorité, la hiérarchie, les modes de vie, les cultures et les croyances traditionnelles, elle ne crée pas de nouveau consensus parce qu'elle ne contient pas de valeurs. Porteuse de désagrégation, elle nourrit la fragmentation, le communautarisme, les sécessions, les tensions locales ou régionales. Partout où le dialogue se rompt, la crise s'ouvre car la mondialisation ne tisse pas d'autre lien. A la déstructuration, des peuples désemparés veulent opposer la cohérence rassurante d'une antique identité, revendiquée comme telle, qui recrée cloisonnements et frontières, comme autant d'abris derrière lesquels se reconstruire.

La confrontation

Pour certains, le 11 septembre a confirmé le scénario diabolique de la guerre des mondes, nouvelle clé des déséquilibres géopolitiques de la planète. Contre ceux qui estimaient que l'avenir verrait le triomphe de la paix et de la démocratie, ils proclamaient que l'évolution des différentes civilisations les condamnait à s'opposer de plus en plus violemment, que les facteurs d'identité culturelle allaient s'exaspérer, que les peuples se dresseraient les uns contre les autres. La « civilisation », après avoir été chez Toynbee une totalité consciente, deviendrait l'élément majeur des relations internationales contemporaines. Cette prophétie réveille des peurs anciennes. Nous, peuples latins, portons enfoui au tréfonds de nos consciences le souvenir des grandes invasions barbares qui déferlèrent sur l'Empire romain.

Pourtant, ce scénario repose sur une analyse trop schématique. En affirmant que les différences entre les civilisations ne peuvent se résoudre que dans le conflit, on les considère comme des blocs figés de valeurs et de traditions, héritières d'une histoire imperméable à tout contact, à tout échange. Chaque civilisation s'épurerait ainsi de sa part d'altérité, forgeant son identité propre en assimilant ou en rejetant complètement les corps étrangers. Il est artificiel de réduire une civilisation à une seule de ses expressions. Le terrorisme d'Al-Qaeda, qui se revendique de l'Islam, ne peut prétendre être l'Islam. C'est faire son jeu que de lui reconnaître, à un titre quelconque, la vocation à représenter le monde musulman. Entre civilisation occidentale et civilisation de l'Islam, l'histoire des rapports entre les deux rives de la Méditerranée contredit la thèse d'une incompréhension inéluctable. Les relations entre l'Occident et l'Orient se sont déroulées sur le mode du mélange, de l'emprunt et du partage bien davantage que sur celui de l'opposition.

Nulle part la coexistence entre les cultures ne fut aussi féconde que dans l'Andalousie médiévale. La richesse de cette expérience vient de ce que chaque groupe a gardé ses spécificités au contact de l'autre. Les juifs et les chrétiens convertis à l'islam continuaient souvent de pratiquer leur religion en secret. Les Bédouins majoritairement berbères, venus d'Afrique du Nord, découvraient un mode de vie urbain et sédentaire, permettant à leur culture de s'exprimer avec splendeur, comme le prouve l'Alhambra de Grenade. Dans ce cadre nouveau, les Arabes transmettaient la culture grecque conservée dans la bibliothèque d'Alexandrie et revisitée par les élites savantes de la Bagdad abbasside. Les Juifs participaient à ce climat d'effervescence intellectuelle, eux qui traduisaient en latin les textes grecs et enseignaient aux musulmans comme aux chrétiens la Kabbale, dont l'influence s'exerça sur les plus grands penseurs de la Renaissance.

L'Andalousie médiévale constitue l'un des jalons essentiels dans la formation d'une pensée européenne. La haute figure du philosophe Averroès, né à Cordoue en 1126 et mort à Marrakech en 1198, symbolise ce moment exceptionnel. Philosophe aux trois noms – latin, hébreu ou arabe –, il parvient à concilier, dans les disciplines qu'il maîtrise – la médecine, l'astronomie, la linguistique ou encore le droit –, la religion musulmane et la pensée aristotélicienne. Traducteur de l'œuvre du philosophe grec, il la transmet aux juifs comme aux chrétiens d'Andalousie. Au cœur des controverses intellectuelles de l'Europe, il cherche, dans son *Discours décisif*, à éclairer les relations entre révélation religieuse et rationalité philosophique. Par une réflexion aussi subtile que nuancée, il en vient à la conclusion que le Coran non seulement ne s'oppose pas à la pensée philosophique, mais qu'il l'encourage. La philosophie, affirme-t-il, peut éclairer la loi religieuse d'un nouveau jour. Il n'y a pas, entre raison et religion, une symétrie parfaite, plutôt une continuité. L'audace de ces analyses suscite beaucoup d'incompréhension et d'hostilité parmi ses contemporains. Sans chercher à les réduire l'une à l'autre, Averroès n'aura de cesse de mettre en évidence les multiples articulations qu'entretiennent la foi et la raison. Penseur de la réconciliation, il ne somme jamais personne de choisir entre les cultures et les modes de pensée, il montre que la distinction n'implique pas l'opposition ou l'exclusivité. *Al-Andalus* demeure, cinq siècles plus tard, un exemple d'ouverture, de curiosité et de réceptivité intellectuelle. Cette expérience illustre, à l'opposé des fantasmes de pureté et d'isolement, l'importance du lien et la conscience de l'enrichissement au contact de l'autre. La Reconquête achevée par les Rois Catholiques en 1492 met fin à cette « aventure de l'esprit » chère à Borges.

Cet entrelacs d'échanges est d'autant plus remarquable que la tentation de la fermeture marque l'histoire des hommes. Déjà, les cités-Etats grecques entendaient se renfermer dans une totalité autarcique, n'imaginant rien au-delà de leurs murailles qui manquât à leur bonheur. A Sparte, on bannit les étrangers de la cité, les accusant de troubler le bon ordre établi par les lois, l'*eunomia*. « *Hostis, hospes* », dira plus tard l'adage latin : « Etranger, ennemi ». Platon déclare dans *Les Lois* qu'il faut séparer les citoyens des voyageurs : du reste, le port d'Athènes, Le Pirée, sera construit loin de la cité et doté de sa propre administration. Et dans *La République*, le philosophe chasse de la cité idéale les poètes, coupables d'exciter inutilement les imaginations avec l'évocation d'un ailleurs que le sage récuse.

De même, Romulus, fondant Rome, commence par tracer, d'un trait décidé de sa charrue, la limite circulaire de la ville à venir. Progressivement, celle-ci grandit par cercles concentriques. Aux limites de l'Empire, le *limes* marque physiquement la partition entre Rome et le monde des Barbares ; aujourd'hui encore, aux confins de l'Angleterre et de l'Ecosse, les restes impressionnants du mur d'Hadrien rappellent ce que furent ces vastes enceintes. Au-delà, un citoyen de Rome ne s'aventure guère que banni, tel Ovide frappé par la disgrâce d'Auguste et condamné par édit impérial à partir vivre aux confins de l'Empire, à Tomes, dans les contrées sauvages du Pont-Euxin.

Comme il serait aisé de céder à la peur et à la tentation de la rive unique ! Mais l'histoire nous enseigne qu'au lieu d'ouvrir elle appauvrit, qu'au lieu de protéger elle favorise la confrontation. L'Empire céleste était convaincu de sa supériorité sur les autres peuples. Son empereur se donnait le titre de « fils du Ciel ». Son essence divine se communiquait à tout ce qu'il touchait, voire à ce qu'il regardait : on apposait son sceau sur les peintures qu'il se faisait présenter et chaque Chinois, devant la trace du regard impérial, devait, sans jamais lever les yeux sur les murs de la Cité interdite, se prosterner en signe de respect. Rien d'étonnant dès lors que cette civilisation récusât toute idée de perfectionnement venu de l'extérieur. Lorsque les Occidentaux arrivèrent en Chine, l'empereur Kang hi, esprit curieux et ouvert, n'en fit pas moins proclamer que les techniques occidentales ne comportaient rien qui ne fût déjà consigné dans le *Livre des mutations*. Les Chinois refusèrent d'adopter des méthodes qui, d'après la doctrine officielle, leur avaient en réalité été empruntées. Le pays se mit à régresser sur les plans scientifique, technologique, industriel et économique au moment où l'Occident décollait. Les riches Chinois se consacraient aux raffinements de la vie aristocratique et l'Etat étouffait sous la bureaucratie mandarinale. L'Occident, d'abord obséquieux, devint arrogant, puis agressif. Lassés de voir leurs ambassades repoussées, les Britanniques envoyèrent des canonnières ; sous les bombes, la Chine fut contrainte de capituler et d'ouvrir plusieurs de ses ports au commerce occidental, ce que ratifia le traité de Nankin de 1841. En 1860, le corps expéditionnaire franco-anglais, dirigé par le général Cousin-Montauban, plus tard comte de Palikao, mit à sac le palais d'Eté. En quelques décennies, la Chine perdit le statut que son génie et sa science lui avaient construit. A l'inverse, le Japon de l'ère Meiji fait le choix de l'ouverture intégrant l'apport occidental – notamment en matière militaire – à ses traditions. Résultat : les victoires de 1895 sur la Chine puis de 1905 sur la Russie en font un nouveau géant mondial, tandis que Pékin sombre dans la révolution, humilié par l'Occident, à l'issue du fiasco qui clôt la révolte des Boxers.

Les civilisations s'ouvrent quand elles sont assurées de leur pérennité, confiantes dans leur avenir ; elles se ferment lorsqu'elles doutent d'elles-mêmes et craignent la spirale de la décadence. De même que *Le Déclin de l'Occident* d'Oswald Spengler, publié en 1918, reflétait une époque d'incertitudes et d'angoisse, de même le principe du choc des civilisations exprime l'inquiétude d'un monde en crise privé de ses repères. L'identification d'un ennemi, la réduction des rapports selon des critères culturels schématiques servent à mettre un nom sur une terreur diffuse. Mais, dans un monde labyrinthique emprisonné dans un maillage de plus en plus serré de liens de causalité, le repli sur soi, la défense de nos propres principes à l'intérieur de nos frontières ne suffisent plus. Le danger vient des fractures.

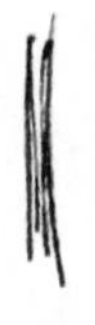

L'éventualité d'un choc des civilisations a mis en lumière l'importance des identités et des enjeux culturels. Ils exigent de notre part un effort de compréhension accru, une ouverture à l'autre et une capacité à remettre en question ses propres valeurs. Car c'est en démêlant les différents fils d'un conflit, en saisissant ses diverses facettes qu'on a des chances de stabiliser les régions ravagées par la violence et le ressentiment. L'acceptation de la diversité est la clé de la stabilité. Comme aux époques charnières de l'histoire, le retour aux racines, le poids de la mémoire, l'affirmation de l'identité alimentent nos interrogations : Qui sommes-nous ? Où allons-nous ? En quoi croyons-nous ? A la recherche d'une réponse, nous nous tournons naturellement vers nos origines, vers les temps anciens.

Achille, fils de Pélée, allie beauté et force surhumaines à une intelligence aiguë. Il fait trembler Troie autant que son propre camp. Son corps est invincible : puisque nul ne peut le tuer, il prend tous les risques. Il crie sa colère, venge la mort de son ami Patrocle, poursuit ses ennemis, décime ses adversaires, sans pour autant conduire les Grecs à la victoire sur Troie. Sa seule faiblesse : son talon, petite enclave négligeable de vulnérabilité, qui finalement lui sera fatale.

Comme Achille, le monde né de la chute du mur de Berlin semblait toucher à la perfection. Effacée, la déchirure du rideau de fer ; oubliés, les anciens ennemis devenus partenaires ; enterrée, la vindicte anticapitaliste qui refusait aux peuples leur liberté sous prétexte de progrès. Seulement, notre monde avait son talon d'Achille : l'identité. Gelées par la guerre froide pendant un demi-siècle, les idoles identitaires ont, en quinze ans à peine, relancé les révolutions les plus importantes, de la réunification allemande à l'explosion des Balkans, du démantèlement de l'Empire soviétique au choc du

11 septembre. Comme les compagnons d'Achille, nous vivons une période d'incertitude, d'hésitation sur la direction à prendre et les valeurs à privilégier ; un temps de turbulence et, parfois, de crise.

Achille mort, Ajax et Ulysse incarnent le combat entre la force et la sagesse. Une assemblée de sages délibère pour savoir lequel des deux héros héritera des armes d'Achille, promises par Thétis au plus vaillant des guerriers. Ajax est le meilleur au combat, héros doué d'une énergie intrépide au service de sa volonté d'indépendance. Il se déclare assez fort pour vaincre sans le concours des dieux et, ivre de sa puissance, refuse l'aide d'Athéna. Ulysse, lui, apparaît comme l'homme du débat, du dialogue, de l'écoute, de la mesure : il préfère convaincre et non imposer, mobiliser et non diviser, inventer et non reproduire les mêmes batailles sans issue : grâce à la ruse du cheval de Troie, il obtiendra la victoire pour les Grecs.

Parce qu'il se sent le plus fort, Ajax refuse de se soumettre au vote de l'assemblée qui donne l'avantage à Ulysse. Aveuglé de fureur, il sort du camp, n'écoutant que la voix de la colère et de la puissance humiliée. Il quitte l'ordre du dialogue pour entrer dans la violence ; dès lors, l'équilibre se rompt. Athéna égare le malheureux Ajax. Ulysse, lui, refuse de s'enorgueillir de sa victoire : il sait qu'il pourrait réagir comme Ajax s'il était un jour tenté par la violence et saisi par le rêve de puissance.

Deuxième volet de l'épopée homérique, l'*Odyssée* forge le mythe de l'autre, auquel Ulysse va constamment se trouver confronté. Son parcours est un voyage forcé, imposé par la volonté des dieux contre celle du héros qui n'aspire qu'à rejoindre son île d'Ithaque et son épouse Pénélope. L'*Odyssée* montre que la découverte de l'autre se produit toujours involontairement, au risque de périls inconnus et de peurs inédites. Aux heures les plus désespérées de sa traversée, seul l'espoir du retour, conforté par la prophétie de Tirésias, pousse Ulysse à poursuivre son chemin, avec le désir de retrouver ses racines, le besoin de se sentir enfin « chez lui ». Avant d'y parvenir, il pressent qu'au fil de ses voyages, il devra d'abord passer par les autres.

CHAPITRE 3

LE PIÈGE

Rarement un événement aura si fortement cristallisé les tensions d'une époque. Rarement un drame aura opposé des visions aussi radicalement différentes du monde. Rarement les opinions publiques auront pris avec une telle netteté conscience de l'enjeu : les fondements de l'ordre international à venir. La violence appelle la violence, jusqu'à la folie. Après le Proche-Orient, la spirale des attentats s'empare de l'Iraq. Les opinions publiques mêmes semblent s'accoutumer à ce quotidien de l'horreur. La peur gagne toutes les parties et menace de se répandre dans l'ensemble de la région. Seuls les groupes terroristes les plus radicaux, les extrémistes les plus acharnés se satisfont d'un chaos dans lequel ils trouvent à la fois la justification de leur combat et le moyen de le poursuivre.

La communauté internationale devient l'otage de tensions qui ne trouvent aucun apaisement, de haines qui s'aiguisent au fil des semaines. Alors oui, il est urgent de comprendre comment on en est arrivé là, et de s'atteler à la tâche : réussir la transition politique, aider le peuple iraquien à acquérir une souveraineté réelle et substantielle, afin d'engager l'Iraq sur un chemin de paix et de développement.

La crise iraquienne a précipité une véritable révolution du terrorisme, dont les attentats de Madrid, le 11 mars 2004, constituent la plus terrible preuve. Première caractéristique : le terrorisme évolue incessamment, comme un virus mutant en fonction des traitements qu'on lui administre, afin de mieux les contourner. Le fonctionnement de la nébuleuse terroriste a changé. Elle se compose désormais d'un agglomérat de structures largement autonomes. Les groupes se fondent dans la population, s'intègrent dans la vie sociale et professionnelle de leur pays de résidence, échappent à la plupart des contrôles. Ils fonctionnent suivant une organisation horizontale, qui favorise des contacts multiples dans la clandestinité la plus totale.

Deuxième caractéristique : les tâches se répartissent entre les différents membres de la nébuleuse. Il y a ceux qui détournent les messages religieux pour les transformer en apologie de la haine et de la violence. Il y a ceux qui apportent leur savoir-faire technique et organisent matériellement les attentats. Il y a ceux qui posent les bombes, prêts à perdre leur vie dans des missions suicide. Ce système apparente le terrorisme à une forme de taylorisme.

Dernière caractéristique : le terrorisme maintient la peur et le doute au cœur des sociétés occidentales en provoquant le plus de morts innocentes pour frapper les esprits et déstabiliser les démocraties. Encore une fois, l'humilité s'impose devant la complexité des événements. Pour faire face à la tourmente iraquienne et à ses conséquences, nous devons accepter d'en comprendre les origines. La crise a éclaté après plusieurs coups de semonce, rappelons-en l'historique.

Le premier temps commence voilà trente-cinq ans, après la prise de pouvoir en Iraq du parti Baath, lorsque son chef, Saddam Hussein, impose sa dictature à son peuple. Délations, meurtres, assassinats politiques, emprisonnements arbitraires et tortures, tous les moyens lui sont bons. Il favorise les uns, exploite les autres. Il manie le chantage et le mensonge, à l'égard de ses proches comme avec l'ensemble de la communauté internationale.

Le deuxième temps s'ouvre en 1990. Convaincu de bénéficier de la neutralité des puissances occidentales, désireux d'affirmer sa prééminence sur l'ensemble des pays de la région et de garantir ses débouchés maritimes, l'Iraq décide d'envahir le Koweït. C'est le pas de trop, qui soude autour des Etats-Unis et contre l'Iraq une coalition considérable, dont l'action bénéficie de la légitimité des Nations unies. En quelques semaines, la tentative échoue.

Le troisième temps débute en 1991. Les résolutions des Nations unies se succèdent, ponctuées de sanctions et de bombardements sporadiques. Ce temps d'attente et de frustration nourrit l'exaspération d'un certain nombre de responsables politiques aux Etats-Unis et provoque la constitution méthodique d'un dossier à charge contre le régime iraquien. Certains membres de l'administration américaine ont la conviction qu'ils ne mèneront pas leur mission à terme tant que le tyran de Bagdad n'aura pas été destitué.

Cependant jamais ce processus n'aurait suffi à déclencher une guerre. Quels que fussent les arguments en faveur du renversement du régime de Saddam Hussein, ils seraient sans doute restés lettre morte si les circonstances avaient été différentes. Si un événement inouï n'était venu bouleverser à la fois la sécurité des Etats-Unis et l'image même que le monde occidental se faisait de lui-même. Cet événement, ce fut bien sûr le 11 septembre 2001. Pour la première fois de leur histoire, les Etats-Unis se trouvaient brutalement frappés au cœur. Une attaque terroriste prenait d'un coup la dimension d'un acte de guerre annonçant une époque d'incertitude et de vulnérabilité. Toute la force de l'Amérique, cette énergie débordante, cette volonté de prospérité et de succès, cette soif de connaissance et de progrès, ont été brutalement obscurcies par un violent sentiment de peur. Refusant l'impuissance, le peuple américain a cru trouver une réponse dans l'action, qui est au cœur de sa culture. Une action tournée cette fois non plus seulement vers la croissance économique, les technologies du futur ou l'imaginaire, mais vers le choix sécuritaire à l'intérieur comme à l'extérieur de ses frontières. L'Amérique blessée devait riposter et montrer sa puissance.

L'Iraq constituait une cible de choix. Le pays concentrait l'ensemble des éléments d'une crise moderne : un risque de prolifération d'armes de destruction massive, emblématique des nouvelles menaces de l'après-guerre froide ; un dictateur inquiétant et sanguinaire, dont le maintien au pouvoir soulevait la difficile question de l'articulation entre souveraineté étatique et droits de l'homme ; d'importants enjeux économiques sous-jacents, dans un pays riche d'immenses réserves pétrolières ; de vastes implications stratégiques et militaires, dans un Etat situé au cœur de la région la plus instable du monde ; enfin, une dimension culturelle et identitaire forte, composante essentielle des relations internationales d'aujourd'hui, sans doute mésestimée dans les premiers temps de la crise. A tous égards, l'Iraq avait vocation à devenir la matrice des crises futures et de leur règlement.

La séquence diplomatique qui s'est amorcée à l'automne 2002 découle de la rencontre brutale entre cette obsession iraquienne et le traumatisme du 11 septembre.

Cette conjonction entraîne les autorités américaines à faire un véritable choix stratégique en s'engageant dans un conflit avec l'Iraq. Un choix motivé par des considérations économiques, culturelles et militaires, marqué par une vision singulière du monde partagé entre le progrès et l'obscurantisme, l'ordre et le chaos, le bien et le mal. Aucune des conséquences de cette guerre ne peut se comprendre sans référence à la réalité initiale : pour Washington il y avait bien deux camps, et chacun devait choisir le sien. Cette division du monde n'obéit pas seulement à un schéma idéologique. Elle témoigne d'un impérialisme renouvelé, qui n'hésite pas à afficher clairement ses ambitions haut et fort avant de les défendre sur le terrain.

En désignant l'Iraq, les Etats-Unis ont fait le choix d'un lieu : celui des décombres de l'Empire ottoman, plein de rancœurs et de comptes à régler. Espace héritier des luttes territoriales qui ont poussé les Britanniques à priver Istanbul de débouchés maritimes vers le Golfe ; héritier du système des *millet*, ces communautés ethnico-confessionnelles, parfois utilisées les unes contre les autres par les sultans ; héritier enfin des frustrations de peuples sortis de la domination ottomane pour tomber sous celle des puissances mandataires, puis des dictateurs locaux.

Voilà pourquoi il est essentiel de remonter plus haut dans l'histoire, de comprendre les motivations et les visions de chacun des acteurs, de mesurer leur volonté et leur détermination.

Le nœud iraquien

Sumer, Babylone, l'Assyrie, autant de noms qui évoquent l'histoire ancienne de l'Iraq. On pense aux califes abbassides et à leurs savants, familiers des nombreuses bibliothèques. Aux religions et sacrifices des prophètes, que commémorent toujours des millions de croyants. En Iraq, chaque mouvement, chaque geste déplace avec lui des décennies de conflits et de rivalités, des croyances profondes, des peurs, des superstitions. On n'entre pas ici comme dans n'importe quelle contrée.

Chacun connaît la vaste plaine désertique hérissée de puits de pétrole présentée par les médias. Mais l'Iraq mérite plutôt son nom de « pays bien enraciné ». La région occupe une place centrale dans l'imaginaire moyen-oriental. Dans l'Antiquité, on l'appelait la Mésopotamie, littéralement le pays « entre les deux fleuves », entre le Tigre et l'Euphrate, berceau de la civilisation, puisque ses habitants inventèrent, dit-on, la roue et l'écriture. Le Code d'Hammourabi est l'un des plus anciens textes juridiques. Babylone, centre d'une puissante et brillante civilisation, abritait deux des Sept Merveilles du monde : les Jardins suspendus de Sémiramis et la célèbre tour de Babel, mentionnée dans la Genèse. Cette civilisation garde le visage des magnifiques et mystérieux taureaux ailés androcéphales, dressés aux portes des anciennes cités.

Pour les musulmans, l'évocation de l'Iraq ravive des images très anciennes. Les noms des villes ramènent aux récits des *Mille et Une Nuits* : Bagdad, Bassora, Koufa, Khark, Russafa, Najaf, Kerbala. Noms chargés de faits et de signes. Bagdad, fondée au VIIIe siècle par le calife Al-Mansour sous le nom de *Madinat al-salam*, la Cité de la Paix – c'est-à-dire le paradis –, deviendra une splendide capitale culturelle. Loin de refuser l'héritage antique, elle le fera prospérer. La « Maison de la Sagesse », fondée par le calife Al-Mamoun fils de Haroun al-Rachid, est une vaste bibliothèque où l'on traduit en arabe les œuvres majeures de la philosophie ou de la médecine venues de Grèce, de Perse et d'Inde. C'est là que les Arabes reprennent et développent l'héritage classique. Les fondateurs de deux des quatre rites du sunnisme eurent l'Iraq pour patrie d'adoption, y élaborèrent leur doctrine et y formèrent leurs disciples. C'est là aussi que l'on retrouve les grands mystiques comme Al-Hallaj. Bagdad rayonne donc sur l'ensemble du monde musulman et au-delà. S'il n'en reste quasiment aucun vestige architectural, le souvenir en demeure vivace dans la mémoire arabe. Bagdad a incarné un âge d'or : dans cette ville s'est épanoui un islam intégrant, comme à Damas, l'héritage perse, grec et byzantin.

Diverse, la société iraquienne l'est encore sur le plan religieux. Près des deux tiers de sa population actuelle sont de confession chiite, conséquence d'un ample mouvement de conversion, amorcé au XVIIIe siècle et accentué au XXe, provoqué par le succès de missionnaires très actifs dans le Sud iraquien auprès d'une population tribale paupérisée par la sédentarisation et désireuse de trouver une échappatoire spirituelle au joug ottoman. Quatre des lieux les plus saints du chiisme se trouvent dans ce pays, lieux de pèlerinage et d'enseignement de la théologie.

Ces éléments qui constituent le ciment de la communauté chiite d'Iraq lient aussi la réalité iraquienne à son voisin le plus important : l'Iran. Cette communauté de pensée, de foi et d'attachement, donnée essentielle de la géopolitique iraquienne, marque la psychologie d'un peuple. Le quatrième calife, Ali, gendre et cousin de Mahomet, périt assassiné par un ancien fidèle, au seuil de la mosquée de Koufa. A la bataille de Kerbala, en octobre 680, Hussein, fils d'Ali, est massacré par Yazid, le calife omeyyade, après avoir longtemps résisté avec ses soixante-douze compagnons ; tous les ans les cérémonies de l'achoûra, spectaculaires, expiatoires, rappellent son souvenir. Sous le signe de cette double mémoire, le chiisme est hanté par la trahison, la défaite et l'injustice, et cependant habité par le don de soi, l'orgueil du sacrifice et l'esprit de la résistance. Il en garde une longue tradition d'opposition à des pouvoirs qui, dans l'attente du retour du *Mahdi* – l'imam caché –, ne peuvent à leurs yeux qu'être imparfaits.

Le reste de la population est majoritairement sunnite. Aux sunnites est revenu depuis des siècles l'exercice d'un pouvoir sans partage. Les chiites en revanche, depuis l'époque ottomane, ont été systématiquement tenus à l'écart des responsabilités économiques ou politiques. Les sunnites ont toujours craint que le voisin persan ne se serve de la communauté chiite pour asseoir son influence sur le pays. La présence d'une très forte majorité musulmane ne doit pas faire oublier que l'Iraq est riche d'autres confessions. Les douze communautés chrétiennes y regrouperaient plus de 600 000 fidèles – pas tout à fait 5 % de la population. Les Juifs enfin, restés à Babylone après l'exil, autrefois plusieurs centaines de milliers, ne sont plus aujourd'hui qu'une poignée. Point commun de toutes ces religions : elles se reconnaissent en Abraham, le patriarche, né à Ur de Chaldée.

Cette complexité religieuse se double d'une diversité ethnique : les trois quarts de la population sont arabes, mais l'Iraq compte également une forte minorité de Kurdes. Le nationalisme kurde, loin d'être un fait récent, plonge ses racines dans l'autonomie acquise par les tribus kurdes au sein de l'Empire ottoman au XVIe siècle et dans le mouvement des nationalités né au XIXe siècle. Le problème est d'autant plus sensible que les zones kurdes sont frontalières et riches d'importants gisements pétroliers.

Le peuple iraquien a une conscience profonde de sa diversité. Il a également un souvenir vivace de l'Empire ottoman qui libéra les haines contenues et aiguisa les antagonismes. La coexistence entre communautés reste fragile, d'autant plus qu'une minorité turcomane vit dans les provinces kurdes. Son histoire troublée a engendré une véritable hantise du démembrement du noyau primitif, la Mésopotamie. Aux confins du monde arabo-musulman, l'Iraq est un espace frontière. On le voit, la mémoire complique un paysage géographique et humain déjà très disparate.

Sur cette réalité morcelée, se sont greffées des ambitions unitaires. Au cours de la Première Guerre mondiale, les Britanniques promirent la constitution d'un vaste Etat arabe uni qui serait confié au prince hachémite Fayçal. Cette promesse ne sera pas tenue. Mais elle marquera d'autant plus les esprits à Bagdad que le prince, après une déconvenue à Damas, prend la direction du nouveau royaume d'Iraq, première entité arabe indépendante au Moyen-Orient depuis la conquête ottomane, au XVIe siècle. Aussi l'idéologie nationaliste arabe, née au Liban et en Syrie dans les dernières décennies du XIXe siècle, trouve-t-elle en Iraq de puissants échos. Fondé en 1947 à Damas par le chrétien Michel Aflaq et le sunnite Salaheddine Bitar, le parti Baath considère que le monde arabe constitue, indépendamment des frontières héritées de la colonisation, une seule et même nation, au sens politique et culturel du terme. Nationaliste, il rejette le confessionnalisme, mais accorde une place particulière à l'islam, présenté comme « l'âme de l'arabisme ». Le Baath est également un parti socialiste et progressiste. En Iraq, il prend part au coup d'Etat du 14 juillet 1958 qui met fin à la monarchie hachémite. Il participe au pouvoir puis, après quelques éclipses, l'assume en totalité à partir de 1968. Alors qu'une branche concurrente du Baath prend parallèlement les commandes en Syrie, il se rétrécit aux dimensions d'un nationalisme étroitement iraquien et, après une douzaine années d'incertitudes, passe au service d'un seul homme : Saddam Hussein.

Jusqu'à sa chute, le dictateur a su tirer profit de chaque situation. Exerçant un pouvoir sans partage, terrorisant la population comme ses proches, il se comporte en autocrate violent et sanguinaire. Bien qu'il ait engagé son pays sur la voie du développement et fait de la population iraquienne l'une des plus instruites de la région, ces acquis ont été vite compromis par des aventures militaires ruineuses, un désir de conquête aveugle et une absence complète d'attention à l'égard de son propre peuple. La prééminence du Baath et la dictature de Saddam ont aggravé les fractures à l'intérieur de la société iraquienne, joué des divisions entre les différents groupes religieux, attisé les rivalités. Elles ont affaibli le pays et l'ont rendu plus vulnérable aux forces de division.

L'Iraq occupe une place géostratégique particulière, dans l'une des régions les plus agitées du monde. Au Nord, l'interaction avec la Turquie est d'une importance majeure, compte tenu de la présence de la minorité kurde et de ses revendications d'autonomie. Ankara est hostile à ce nationalisme, qu'elle juge à la fois dangereux pour ses intérêts économiques et menaçant pour l'intégrité de son territoire. L'idée qu'un Kurdistan autonome puisse voir le jour en Iraq suscite son inquiétude en raison des risques de contagion pour ses propres provinces. A l'Est, la rivalité avec l'Iran s'est traduite dans les années 1980 par l'un des conflits les plus sanglants que la région ait connus. Le différend territorial sur le Chatt-Al-Arab n'explique qu'en partie cet affrontement. Le véritable enjeu, c'était l'influence politique sur l'ensemble du Moyen-Orient et la capacité d'un Etat à assurer une domination durable sur les peuples de la région. La majorité chiite en Iraq n'a pu que compliquer encore les relations entre Bagdad et Téhéran. A l'Ouest, l'existence de la Syrie constitue un autre élément d'incertitude, directement lié au conflit israélo-palestinien et à la crise du Proche-Orient. Enfin, reste une donnée essentielle : l'enjeu pétrolier. Le sous-sol de l'Iraq recèle environ 11 % des réserves prouvées du monde, au deuxième rang après l'Arabie Saoudite. Depuis le début du XXe siècle, l'Iraq est donc un champ clos où s'affrontent les intérêts économiques des grandes puissances.

Pour toutes ces raisons, l'Iraq se trouve au carrefour des grands enjeux du Moyen-Orient : démocratisation des sociétés, rôle de la religion, rivalités parfois violentes entre régimes, développement d'armes de destruction massive, prétention à la légitimité historique pour assurer la direction du monde arabe, affrontements entre ethnies, entente difficile avec les Etats voisins, toutes ces données se trouvent concentrées en un mélange explosif.

Mais la variété des temps entremêlés dans cette crise ne s'arrête pas là. La deuxième guerre iraquienne trouve son origine bien en amont des événements survenus fin 2002 et début 2003. C'est de 1979, au moment où tombe en Iran la dictature moderniste du chah Muhammad Reza, qu'il faut dater les prémices de la crise iraquienne. En février, l'ayatollah Khomeiny rentre en Iran de son exil français, après un séjour de plusieurs années en Iraq. Un pouvoir islamiste, férocement antiaméricain, s'installe à Téhéran. Son arrivée est marquée par une campagne virulente contre le « Grand Satan » et par la prise d'otages à l'ambassade américaine. Au même moment, la contestation islamiste monte en Arabie Saoudite, comme le montre l'attaque de la Grande Mosquée de La

Mecque par des intégristes en novembre 1979. Le mois suivant, les troupes soviétiques envahissent l'Afghanistan. Bientôt, la communauté chiite libanaise entre en effervescence. Pour les Etats-Unis, la situation dans la région tourne mal, d'autant que, au sortir de la guerre du Viêt-nam, il n'est pas question d'envisager un déploiement des forces américaines. A travers les pétromonarchies du Golfe, les Etats-Unis choisissent de soutenir l'Iraq lorsque Saddam Hussein, en septembre 1980, lance son offensive contre l'Iran, dont le succès initial est bientôt suivi de graves revers.

Les deux superpuissances, comme la plupart des Etats de la région, souhaitent une victoire de l'Iraq qui affaiblirait le régime de Téhéran, tout en craignant qu'elle ne conforte excessivement le dictateur de Bagdad et qu'un Iraq renforcé ne menace la sécurité d'Israël. L'Union soviétique, elle, redoute qu'un Iran victorieux n'aide la résistance afghane, mais ne veut pas pour autant voir l'Iraq affaiblir la Syrie. Celle-ci soutient l'Iran par peur d'une hégémonie iraquienne, malgré le risque qu'une victoire de Téhéran n'entraîne l'installation d'un pouvoir chiite à Bagdad. Le conflit est un nœud de contradictions, qui résume à lui seul la complexité de la région. Lorsqu'il prend fin en 1988, les deux belligérants sont exsangues. L'effondrement des cours du pétrole achève de ruiner l'Iraq. Condamné par les Nations unies pour l'utilisation d'armes chimiques, celui-ci ne reçoit aucune aide pour la reconstruction des infrastructures dévastées par la guerre. Le marasme économique qui en résulte suscite un sentiment d'humiliation au sein d'un peuple qui a la conviction d'avoir combattu pour sauver la stabilité des pays arabes de la région.

La première guerre du Golfe, en 1990, constitue pour Saddam Hussein la riposte à une injustice flagrante ainsi qu'une nouvelle tentative de galvaniser l'orgueil national par l'aventure militaire. De ce moment date la prise de conscience de la menace iraquienne. Le déploiement d'inspecteurs internationaux sur le terrain, à la suite des opérations militaires, permet aux Etats membres de la coalition de se rendre compte de l'ampleur du programme d'armes de destruction massive développé par le régime de Saddam Hussein. Il donne en particulier la juste mesure de l'état d'avancement du programme nucléaire militaire, que les services spécialisés estimaient embryonnaire alors qu'il en était à la dernière phase de réalisation. Cette découverte brutale et terrifiante aura une importance fondamentale dans la gestion du dossier iraquien, et plus largement dans la perception des problèmes de prolifération, placés au cœur des préoccupations de la communauté internationale. Désormais un gouvernement démocratique sera en droit de penser que la menace dépasse de loin les informations dont il dispose. Car le développement des armes de destruction massive expose les populations à des périls diffus, difficiles à mesurer, et donc à des craintes irrationnelles.

La crise iraquienne de 2003 trouve donc son origine directe dans la première guerre du Golfe. Le 2 août 1990, le monde apprend avec stupéfaction que les troupes de Saddam Hussein viennent d'envahir le Koweït, petit émirat peu peuplé mais riche de ressources pétrolières, séparé de l'Iraq par une frontière tracée d'autorité au lendemain de la Première Guerre mondiale. Les dirigeants iraquiens n'ont jamais véritablement reconnu cet Etat : en effet le Koweït bloque l'accès de leur pays au golfe Persique. Déjà en 1961, lors de l'indépendance de l'émirat, le Royaume-Uni avait fait pression sur le général Kassem, fondateur de la République iraquienne, pour le dissuader d'envahir son voisin.

En 1990, le coup de force de Saddam Hussein se heurte immédiatement à la ferme détermination du président George Bush de rétablir le *statu quo ante*. Il y va du respect du droit, de la sécurité d'Israël – que l'Iraq menace de bombarder s'il est attaqué –, de la stabilité des Etats de la péninsule Arabique et de leurs richesses pétrolières, qui sont à la merci de Saddam Hussein s'il poursuit son offensive. C'est pourquoi les Etats-Unis parviennent à réunir très rapidement une vaste coalition internationale : vingt-neuf Etats soutiendront l'opération engagée. Le président Bush et son secrétaire d'Etat James Baker rallient le Conseil de sécurité de l'Onu qui, d'août à novembre 1990, adopte une série de résolutions contre l'Iraq, dont le retrait de ses troupes, et condamne ses agissements par des sanctions ; le processus culmine avec la résolution 678 du 29 novembre qui autorise l'usage de la force contre Bagdad si, le 15 janvier 1991, les décisions du Conseil de sécurité n'ont pas été appliquées.

Fait remarquable, l'Onu a pleinement joué son rôle alors même que l'environnement international, à peine un an après la chute du mur de Berlin, reste instable et complexe. L'URSS de Gorbatchev est embourbée dans d'immenses problèmes internes ; la Chine rejoint le camp du droit, soucieuse de faire oublier Tienanmen ; l'Europe, engagée dans le processus qui conduira au traité de Maastricht, présente des positions convergentes, en dépit des inévitables différences de sensibilité.

Le 17 janvier 1991, lorsque s'engage la phase militaire de l'opération, baptisée « Tempête du désert », la coalition construite patiemment par la diplomatie américaine est solide. Les troupes anglaises et françaises sont présentes aux côtés des forces américaines. La stratégie, dite de la « force irrésistible », mise au point par le chef d'état-major américain, le général Colin Powell, fait la démonstration de son efficacité. Noyées sous un déluge ininterrompu de bombes et de missiles *Patriot*, les armées de Saddam Hussein sont rapidement et facilement défaites.

La suite des opérations réserve une place tout aussi importante aux Nations unies. C'est le Conseil de sécurité qui, au nom du « devoir d'ingérence humanitaire » invoqué par la France le 2 avril 1991, se déclare contre la répression par Saddam Hussein d'un soulèvement kurde dans le Nord de l'Iraq. C'est encore lui qui, par la résolution 687 du 3 avril, fixe les conditions d'un cessez-le-feu permanent dans la région du Golfe et trace les contours d'une zone qui doit, à terme, être exempte d'armes de destruction massive. Dans cette affaire, les Etats-Unis ont incontestablement affirmé leur nouveau statut d'unique superpuissance, puisque l'affaissement de l'Union soviétique est désormais manifeste. Dès le 6 mars 1991, le président Bush annonce devant le Congrès l'avènement d'un « nouvel ordre international », dans lequel l'Amérique tiendrait le premier rôle.

Une nouvelle fois, les pays arabes se sont divisés face aux Etats-Unis, certains se trouvant *de facto* à leurs côtés tandis que d'autres appuyaient tacitement Saddam Hussein. Brisant la logique ancienne d'un conflit israélo-arabe binaire, ils ouvraient une voie vers un éventuel règlement. Forte de sa légitimité internationale, l'Amérique se rêve protectrice du Moyen-Orient, capable de remodeler la région pour éliminer les crises et garantir la sécurité à la fois de l'Etat d'Israël et de la monarchie d'Arabie Saoudite. Elle a les moyens de contraindre les deux leaders affaiblis à se rapprocher :

Arafat, qui a soutenu l'invasion iraquienne, et Shamir, contraint de protéger la population israélienne contre les missiles iraquiens qui s'abattaient sur Tel-Aviv, sans qu'il puisse riposter.

Dans le Golfe, l'intervention américaine, en réalité, ne tarde pas à radicaliser le fondamentalisme islamiste. La création d'Al-Qaeda par Oussama Ben Laden répond à l'indignation suscitée, chez nombre de musulmans intégristes, par l'entrée des troupes américaines sur le sol de la Péninsule arabique, territoire sacré dans sa totalité, siège des deux principales villes saintes de l'Islam. Le premier attentat meurtrier d'Al-Qaeda, à Nairobi le 7 août 1998, marque d'ailleurs l'anniversaire de l'appel lancé par le roi Fahd aux Etats-Unis le 7 août 1990. L'action du mouvement s'intensifie ensuite avec l'attentat d'Aden, en octobre 2000, au moment où la violence redouble en Palestine.

A l'égard de l'Iraq lui-même, le choix du président Bush de ne pas pousser l'offensive alliée jusqu'à Bagdad et de renoncer à renverser le régime de Saddam Hussein était dicté par la volonté de s'en tenir aux termes du mandat reçu afin de préserver l'unité et la cohésion de la communauté internationale. Ce choix, contesté au sein même de l'administration américaine, garantissait le maintien de la légitimité américaine dans son action entreprise avec l'aval des Nations unies. A partir de 1991, l'Iraq est placé sous le contrôle de l'Onu. Il fait l'objet de plusieurs résolutions du Conseil de sécurité qui ont pour objectif d'endiguer le régime.

L'*endiguement* est une stratégie de long terme, en principe destinée à empêcher l'émergence d'un concurrent stratégique. Dans ce cas précis, elle visait à réduire la capacité de nuisance militaire de l'Iraq en le privant progressivement de ses armes de destruction massive.

Tel est l'esprit de la résolution 687 du Conseil de sécurité. De plus, la stratégie d'*endiguement* prévoyait d'englober l'Iran, dont il s'agissait de limiter l'influence dans la région, notamment grâce aux appuis assurés aux autorités rivales d'Arabie Saoudite. L'Iraq neutralisé et l'Iran contenu, la stabilité de la région était garantie.

Ce plan aboutit à des résultats tangibles : la commission spéciale mise en place par la résolution 687 a identifié, localisé et détruit une grande partie des sites de production et des stocks d'armes de destruction massive. L'Agence internationale de l'énergie atomique a remis un rapport en 1998, soulignant que le dossier nucléaire pouvait être clos, sous réserve d'un simple contrôle à long terme. Les rapports des commissions d'évaluation des Nations unies estimaient que l'essentiel du désarmement avait été accompli, mais que des zones d'ombre persistaient dans les domaines chimique et biologique. En résumé, les inspecteurs avaient accompli un travail considérable.

L'Iraq a cependant refusé de se soumettre à une partie de ses obligations. Il a bloqué l'accès de certains sites à la commission spéciale du désarmement créée par la résolution 687 ; empêché le retour des inspecteurs en 1998 ; adopté une attitude de fermeture face aux exigences des Nations unies. Cette attitude a conduit l'administration américaine à durcir ses positions dès 1998 et à élaborer le concept d'*endiguement* renforcé, avec menace d'un recours à la force. La crise de l'automne 1998 et les bombardements sur Bagdad ont contraint l'Iraq à reculer et à accepter l'inspection des sites présidentiels : mais la crise a bien failli alors dégénérer en conflit ouvert.

Ce durcissement provoqué par la mauvaise volonté persistante de Bagdad nourrissait l'obsession de certains membres de l'administration américaine, inquiets des progrès de la prolifération dans le contexte de l'après-guerre froide, notamment en Iran et en Corée du Nord. Le concept nouveau de « menace diffuse » accroît l'importance d'un pays pourtant ruiné et détruit comme l'Iraq au lendemain de la première guerre du Golfe.

Le bouleversement des priorités dans la politique étrangère américaine s'explique par l'influence grandissante des néo-conservateurs. Arrivés au pouvoir aux Etats-Unis en janvier 2001 après l'élection de George W. Bush, ils s'intéressent à l'Iraq depuis bien plus longtemps. Ils soulignent l'échec de la doctrine d'*endiguement* appliquée par l'administration Clinton. Tout, dans le cas iraquien, suscite leur réprobation : l'arrêt des opérations militaires aux portes de Bagdad ; la persistance d'un régime dictatorial ; l'inefficacité présumée du régime d'inspections et ses difficultés d'application ; les provocations répétées des dirigeants iraquiens. Comme un rôle central a été donné à l'Onu dans le traitement de la question iraquienne, ils en déduisent l'échec du multilatéralisme en général et des Nations unies en particulier : comment faire confiance aux organisations internationales pour assurer la sécurité des Etats-Unis alors qu'elles sont aux mains des ennemis de l'Amérique, alors que le Conseil de sécurité a révélé à de nombreuses reprises, et d'abord en Iraq, son incapacité à faire appliquer ses décisions ? Tous ces facteurs pousseront les théoriciens néo-conservateurs à modifier la doctrine stratégique et diplomatique des Etats-Unis, et pour commencer, à resserrer l'étau autour du régime de Saddam Hussein.

Selon eux, non seulement l'Iraq ne respecte pas ses obligations, mais son comportement, ses provocations, ses liens supposés avec le terrorisme en font un pays dangereux qui constitue en soi une menace contre la sécurité des Etats-Unis. Les autorités américaines ne peuvent donc se contenter de limiter sa puissance ; elles doivent abattre son régime. Paul Wolfowitz et Zalmay Khalilzad l'écrivent sans détour dans un article du 1er décembre 1997 : il est temps de définir « une nouvelle stratégie, qui érige le renversement de Saddam en objectif général ». Voire en exemple.

Au début de l'année 1998, un groupe de réflexion écrit au président Clinton pour lui demander de faire du départ de Saddam Hussein une priorité de la politique étrangère américaine. Il insiste sur les obligations morales qui accompagnent cette exigence, en soulignant qu'elle répondra aux problèmes de sécurité aux Etats-Unis. Sans renoncer à la stratégie d'*endiguement*, l'administration Clinton en durcit les conditions et laisse entendre, par la voix de son secrétaire d'Etat, Madeleine Albright, que le renversement du régime iraquien n'est pas une option à exclure. Dans les faits elle s'en tient à sa stratégie, dont le premier mérite est de contenir la menace iraquienne sans ouvrir de nouveau front diplomatique ou militaire. Elle donne la priorité à la relance du processus de paix entre Israéliens et Palestiniens. Le règlement de la question iraquienne lui apparaît comme secondaire : l'Iraq est une épine dans le pied de la communauté internationale, mais ne constitue pas un défi susceptible de menacer les grands équilibres mondiaux. Le régime est isolé, sa capacité de nuisance réduite. Ses projets dans le domaine des armes de destruction massive sont sévèrement contrariés par l'embargo. L'urgence est à l'ouverture et à la conclusion de négociations sur le Proche-Orient, où les risques d'embrasement sont réels. Là se situent la tentative et l'échec de Camp David dont sortiront les « paramètres Clinton » qui restent aujourd'hui des bases raisonnables d'un règlement global de la crise israélo-palestienne.

L'élection du président George W. Bush bouleverse la donne : les universitaires et les chercheurs néo-conservateurs occupent des postes de décision ou d'influence, d'où ils sont en mesure de mettre en application la doctrine qu'ils défendent depuis plusieurs années. D'emblée, ils laissent entendre que l'affront infligé par l'Iraq à la communauté internationale, en particulier aux Etats-Unis, ne restera pas impuni. Le thème iraquien réapparaît avec une insistance croissante dans les discours du Président et des plus hauts responsables américains.

L'échec des négociations de paix entre Israéliens et Palestiniens a changé les priorités : puisque le front du Proche-Orient est durablement enlisé, ne vaut-il pas mieux inverser l'ordre des urgences, et commencer par s'attaquer à la question de l'Iraq ? L'enjeu est crucial : la route de la paix au Proche-Orient passe-t-elle par Bagdad ? Pour beaucoup de responsables américains, c'est une évidence. En réussissant une démonstration de force en Iraq, les Etats-Unis effectueraient le premier pas vers un remodelage complet de la région. Ils prouveraient aux Etats voisins de l'Iraq leur détermination, et par conséquent remettraient sur les rails le processus de paix.

Le 11 septembre sert de catalyseur. Sans doute les Etats européens, en dépit du soutien sans réserve apporté au peuple américain, n'ont-ils pas mesuré l'ampleur de la révolution des esprits outre-Atlantique : la découverte de la vulnérabilité des Etats-Unis. Brutalement, pour les citoyens américains, leur territoire, considéré comme un asile de paix et de prospérité, devenait une cible. Aucune armée étrangère n'avait foulé le sol américain depuis 1814, date à laquelle les troupes anglaises brûlèrent le Capitole et la Maison-Blanche. En résulte une sensibilité particulière : le sol américain est un sanctuaire et, hormis l'éventualité du cataclysme nucléaire redouté pendant la période de la guerre froide, un tel acte sur le territoire des Etats-Unis paraissait, jusqu'au 11 septembre, à peu près inconcevable.

Pour le peuple américain, la vulnérabilité de son territoire était inacceptable. La décision de riposter n'a donc pas tardé : à peine un mois après les attentats, l'opération *Liberté immuable* était lancée en Afghanistan, largement soutenue par la communauté internationale. Elle a provoqué très vite le renversement du régime taliban et la mise en place d'un pouvoir intérimaire, sous la direction du président Karzaï. L'Afghanistan ne représentait qu'une première étape. Il était clair pour la plupart des membres de l'administration américaine que l'Iraq constituait le véritable objectif. Mais l'ampleur de l'opération n'était pas compatible avec la rapidité de la réponse exigée par l'opinion américaine après le 11 septembre, d'autant qu'aucun lien convaincant n'avait pu être établi avec Al-Qaeda. Le dossier avait besoin de mûrir.

L'heure des choix

L'accélération des événements à partir de l'automne 2002 ainsi que la concentration de l'opinion publique mondiale sur cette crise ont mis en évidence un paradoxe : tandis que l'Europe, après deux guerres mondiales, affirmait sa foi dans la règle de droit et la légitimité des instances multilatérales édifiées jadis à l'initiative américaine, les Etats-Unis misaient sur leur puissance militaire. Il s'agit là d'un renversement sans égal dans l'histoire contemporaine. Les Etats européens, marqués pendant des siècles par la volonté de puissance, renoncent à cette culture de force au profit d'un équilibre garanti par le droit. A l'inverse, les Etats-Unis s'engagent dans une logique de puissance technologique et militaire, qui ne demande qu'à trouver des champs de bataille pour s'exprimer.

Entre-temps, le 11 septembre a provoqué un bouleversement de la doctrine américaine. Les frappes préventives constituent un axe majeur de cette nouvelle doctrine. Dès lors que l'alliance de l'extrémisme et de la technologie développe une menace aveugle contre les Etats-Unis, les autorités américaines sont en droit de laisser planer en permanence la possibilité d'une frappe préventive qui surprendra l'adversaire. Les attentats ont montré que l'ennemi était invisible, prêt à surgir au moment le plus inattendu et de manière massive ; dans ce nouveau contexte, le concept d'action préventive renouvelle, en l'inversant, celui de légitime défense. Il n'est plus question de défendre son propre sol contre une menace avérée, mais d'éradiquer à l'extérieur la source d'une menace potentielle. La doctrine de la préemption table, en quelque sorte, comme le développement économique selon Joseph A. Schumpeter, sur la *destruction créatrice.* Elle parie sur les vertus de la remise en cause perpétuelle de l'ordre existant, et préfère le risque du désordre choisi à celui d'une attaque même incertaine contre ses intérêts.

Mais le renouvellement de la doctrine stratégique américaine ne se limite pas à la définition et à la mise en œuvre des frappes préventives. Il repose aussi sur trois piliers principaux. Le premier, c'est la formulation d'une nouvelle politique de défense, qui conduit à une restructuration des forces armées et à l'élaboration d'une architecture stratégique, dont l'outil nucléaire ne constitue plus que l'un des éléments à côté des défenses antimissiles et des capacités conventionnelles renforcées.

Le deuxième pilier, c'est la prééminence de la défense sur les autres budgets de l'Etat fédéral américain. L'augmentation significative du budget du Pentagone traduit ce choix politique. Il n'est plus question, comme aux premiers temps de la présidence Bush, de fermer sans redéploiement les bases américaines à l'étranger et de miser sur la création d'unités plus légères, capables d'être projetées sur de longues distances : le Pentagone a obtenu à la fois de garder son appareil traditionnel et de le compléter par un investissement technologique sans précédent qui redessine entièrement le champ de bataille. Derrière cet effort considérable, une véritable économie de guerre se met en place, selon un pari qui n'est pas sans rappeler celui de l'Initiative de défense stratégique lancée par Ronald Reagan : le développement des budgets de défense et de l'effort de recherche avait entraîné l'Union soviétique dans une course-poursuite qui lui fut fatale, tout en permettant des développements technologiques décisifs dans les progrès de la société de l'information.

Le troisième pilier, c'est l'identification de pays-cibles, supposés constituer un « axe du mal », avatar de l'« Empire du Mal » dénoncé par Ronald Reagan à propos du bloc communiste : l'Iran, la Corée du Nord et l'Iraq constituent l'épine dorsale de cet axe. Par leur comportement et leurs capacités de nuisance, ces Etats représentent aux yeux de l'administration américaine des menaces inacceptables, objet d'une politique de fermeté en rupture avec les choix passés. Pour le président George W. Bush et son équipe, il s'agit bien sûr de se démarquer de la politique de l'administration Clinton, accusée de faiblesse, voire de complaisance à l'égard des « Etats voyous ». Et aussi, dans un univers où la menace est diffuse, de retrouver des points d'appui en désignant un certain nombre d'ennemis clairement identifiés.

Cette analyse se double d'une vision géostratégique focalisée sur le Moyen-Orient : le centre de gravité des crises s'est déplacé vers l'est. Avec l'effondrement du bloc communiste, l'Europe a cessé d'être l'enjeu géostratégique essentiel ; désormais, la zone névralgique s'étend du Bosphore au Cachemire et à la mer de Chine, dessinant un véritable « arc de crises ». Par sa position au centre de cet arc, l'Iraq apparaît dès lors comme prioritaire par rapport à la Corée du Nord, alors même que ses programmes d'armes de destruction massive sont moins avancés. Après s'être engagés en Extrême-Orient, les Etats-Unis rêvent désormais de remodeler le monde arabe du Maghreb au Moyen-Orient, cette nouvelle poudrière que ses réserves pétrolières rendent cruciale pour les intérêts de l'Occident.

Trait saillant de la nouvelle doctrine américaine, l'accent est mis sur l'importance de l'outil militaire dans le règlement des crises, tandis que s'affiche une défiance résolue à l'égard du multilatéralisme et du droit international, que les penseurs néo-conservateurs considèrent comme les instruments des faibles contre le fort. Selon eux, les organisations internationales servent surtout à empêcher les Etats-Unis d'agir alors même qu'ils ont les moyens de le faire. De nouveau, s'affrontent deux conceptions traditionnelles des relations internationales : celle de Hobbes, qui privilégie la force, et celle de Kant, qui donne la primauté au droit.

Le droit international a longtemps jugé préférable l'accord des volontés entre Etats souverains ; l'innovation essentielle apportée par le système des Nations unies a été de lui substituer, dans certaines situations, la règle de la majorité au sein du Conseil de sécurité, au prix d'un droit de veto concédé aux principales puissances issues de la Seconde Guerre mondiale. A cette figure devenue classique de la légitimité internationale, les Etats-Unis en opposent une autre, issue du vocabulaire militaire : celle de la coalition. Le terme était apparu au moment de la première guerre du Golfe, mais la coalition s'était alors appuyée sur le Conseil de sécurité et traduite dans ses résolutions ; dans la nouvelle crise iraquienne, au contraire, la coalition, incarnée par le sommet des Açores entre les Etats-Unis, le Royaume-Uni, l'Espagne et le Portugal, affranchie des règles du droit international, a pris ostensiblement le pas sur le Conseil de sécurité.

Quel que soit le jugement de l'histoire, les choix de l'administration américaine répondent à une vision cohérente et à un corps de doctrine précis, dont le fondement est simple : les Etats-Unis ont les moyens et le devoir d'exercer leur prééminence car il est de leur intérêt, comme de celui de la planète, de la préserver. Puisqu'elle incarne la démocratie, l'Amérique doit, aux yeux du président George W. Bush et de ses conseillers, assumer sa puissance sans complexes et sans hésiter à écarter ceux qui se dressent sur son chemin, ou menacent la *pax americana* et la prospérité qui doit en résulter.

En définitive cet impérialisme messianique met en œuvre les ressorts classiques de la puissance au service d'une conception manichéenne du monde, en équilibre entre le bien et le mal. Le 11 septembre incite les Etats-Unis à revenir à une conception ancienne des rapports de force et de l'organisation du monde. Pour eux, les Etats se structurent sur des camps tranchés, des concepts et des valeurs opposés.

Pourtant la mondialisation interdit de mobiliser les autres peuples sur la base de convictions qui ne seraient pas partagées par tous. Aujourd'hui il ne s'agit plus d'embrigader, de contraindre ou de menacer de rétorsion les Etats qui ne voudraient pas se soumettre à une volonté donnée. Tout l'art est de conviction, de persuasion, d'influence et de réseaux. Les Etats-Unis étaient à l'origine de cette révolution. En donnant l'impression de céder au seul argument de la force militaire, ils ont rompu avec leur propre génie.

On peut s'interroger sur la pertinence à long terme d'un tel choix. Oui, la force militaire est nécessaire pour défendre nos valeurs communes et faire respecter le droit. Non, les Etats démocratiques ne doivent pas systématiquement reculer devant l'usage de la force. Mais l'absolue primauté accordée à l'instrument militaire fait le jeu du désordre et de l'instabilité. Elle n'apporte que des solutions de court terme à des problèmes qui demandent l'engagement et la conviction des parties concernées. La possibilité pour la nouvelle doctrine américaine de créer les conditions d'une paix durable au Moyen-Orient reste à prouver.

Durant la crise iraquienne, la France s'est battue pour la défense de certaines valeurs. Nous étions convaincus de l'importance de l'enjeu, convaincus que ce qui se jouait n'était rien de moins que la future organisation du monde au XXIe siècle. Nous avons défendu les principes sur lesquels nous estimons que l'ordre international doit désormais se construire.

La légitimité d'abord. Nous avons toujours attendu que l'action de la communauté internationale réponde à cet impératif. La légitimité fonde la puissance et la capacité d'agir. En l'appuyant sur le droit international et la délibération collective, nous espérons l'ancrer solidement dans l'assentiment de la plus large majorité des Etats. Dans tous les domaines, cette majorité favorise l'unité des volontés qu'elle regroupe dans une convergence active. Il n'y a pas de meilleure garantie pour une action efficace. Ainsi, en matière de terrorisme : si notre lutte est légitime, adossée aux résolutions du Conseil de sécurité, et si nous enregistrons des résultats, c'est parce que nous unissons nos forces, parce que nous avons lancé une coopération étroite en matière de police, de justice et de renseignement, parce que nous partageons tous le même objectif ultime de son éradication. Certes, la légitimité est longue à construire. Elle suppose de rapprocher des opinions différentes, de prendre en considération les intérêts de chacun. Mais le temps consacré au dialogue évite par la suite les contestations, les remises en cause, les blocages et les lenteurs. Le soin mis à construire la légitimité d'une décision permet de fixer un cap et de faciliter les prises de décisions ultérieures.

Deuxième principe défendu par la France : l'équité, sans laquelle aucun résultat durable ne peut être obtenu. Ce qui est vrai pour un pays doit l'être pour les autres. En matière de prolifération des armes de destruction massive par exemple, les mêmes règles doivent s'appliquer pour tous et partout. Le choix de la raison, de l'objectivité exclut de se laisser guider par la passion, sous peine d'alimenter le sentiment – deux poids, deux mesures – qui nourrit les rancœurs, notamment dans cette région.

On objectera qu'il n'est pas question de traiter tous les problèmes à la fois, qu'il faut hiérarchiser les priorités, évaluer le possible et l'impossible. Mais dans un monde régi par l'interdépendance et la complexité, il est essentiel de garder une vision globale et équilibrée des défis qui se présentent. Aucun peuple ne saurait accepter sans réagir, pendant des années, des différences de traitement à son détriment. C'est aussi une question d'efficacité. Ainsi, si nous ne retenons pas une approche générale des crises, privilégiant l'une, délaissant l'autre, nous finirons par nous trouver emportés par les mauvais vents.

Alors oui, la crise iraquienne se révèle une nouvelle occasion manquée. L'occasion de définir une méthode de lutte contre la prolifération et de désarmement applicable à tous les Etats suspectés de conduire des programmes clandestins. L'Iraq devenait un modèle applicable à d'autres situations, par exemple à la Corée du Nord. Un processus en plusieurs étapes avait été conçu : saisine du Conseil de sécurité, résolution, inspections sur place et démantèlement des installations ou des matériels prohibés. Ce processus avait vocation à s'appliquer ailleurs. Pour l'Amérique, l'affaire iraquienne apportait la réponse à une situation particulière, qui la concernait au premier chef ; pour nous, elle offrait un laboratoire des crises futures. L'enjeu était la définition des règles qui, à l'avenir, présideraient à l'organisation du système international.

Troisième principe : celui de la responsabilité. Il implique que chaque Etat s'engage à participer à la gestion des affaires du monde, dans un esprit constructif et ouvert. Cette exigence est d'autant plus forte que nous devons faire face aujourd'hui à des menaces de plus en plus diffuses, qui nous concernent tous. Soudés, les membres de la communauté internationale doivent l'être dans la recherche des solutions. Les aventures solitaires nuisent à l'efficacité de la lutte pour la sécurité. Avons-nous pris toute la mesure de la révolution qui a transformé notre monde ? Il n'y a plus un Etat contre un autre, deux blocs face à face, mais une communauté internationale menacée dans son ensemble par le développement de réseaux mafieux, par des organisations qui ne respectent aucune règle commune, par des mouvements extrémistes mus par le rejet et la haine. Devant ces dangers, la mobilisation est un impératif. Nous ne combattrons efficacement la nébuleuse Al-Qaeda que si nous sommes en mesure, dans le cadre d'une coopération et d'une collaboration internationale décidée, de la traquer dans tous les pays. Et si chaque Etat se sent investi d'une part de responsabilité, déterminé à apporter son propre concours, en matière de contrôle et de renseignement par exemple.

Dans un monde en évolution toujours plus rapide, le mouvement est la clé de la réussite. Il suppose de s'adapter chaque jour à de nouvelles réalités, de garder l'esprit en éveil, de refuser de se satisfaire du *statu quo*, de rejeter les formules toutes faites et supposées pérennes. Dans le cas de l'Iraq, la France a témoigné sans relâche de la nécessité de proposer de nouvelles solutions et d'adapter les dispositifs existants. Lorsque les autorités iraquiennes semblaient hésiter à mettre en œuvre les décisions du Conseil de sécurité, elle a suggéré de renforcer le corps des inspecteurs, de les doter de nouveaux moyens, d'accroître leur nombre. Nos propositions ont été accueillies avec scepticisme par certains, au motif que la question n'était pas le nombre de personnel sur le terrain, et que les effectifs présents étaient amplement suffisants. N'est-ce pas un paradoxe d'avoir vu les forces sur le terrain réclamer plus de 2 000 inspecteurs pour le désarmement, quand ils étaient 150 au moment où la France était critiquée pour en avoir suggéré davantage ?

Si la crise iraquienne a cristallisé une certaine vision américaine du monde, que nous a-t-elle appris sur notre propre idée de l'avenir ? Pour la France comme pour de nombreux pays européens, l'esprit de concertation, la connaissance en profondeur des implications de chaque crise sont des bases essentielles dans la construction de la sécurité collective. L'Europe ne se laisse pas gagner par la faiblesse, mais elle s'efforce de bâtir une puissance différente, fondée sur le dialogue avec les autres Etats, la fermeté dans la défense de ses principes, la recherche de la légitimité dans l'action et l'objectif de la justice.

La négociation

L'unité de la communauté internationale, si forte au lendemain du 11 septembre, s'est brisée sur la crise iraquienne. Ce drame a révélé de profonds malentendus entre les Etats-Unis et l'Europe, nourris par des analyses et des appréciations différentes de la situation internationale.

Une première divergence de vues a porté sur l'évaluation de l'importance stratégique de l'Iraq. Ce pays constituait-il un danger imminent ? Les renseignements dont nous disposions faisaient état d'une menace potentielle, limitée dans ses capacités. Nous étions préoccupés par la possibilité du maintien d'un savoir-faire militaire ou du développement de capacités proliférantes plus que par l'éventualité d'une frappe immédiate par les troupes iraquiennes. S'il était indispensable de reprendre les contrôles en Iraq, il n'y avait pas d'urgence à s'attaquer à ce pays, compte tenu des risques de déstabilisation qu'une telle tentative pouvait impliquer. Aucun motif décisif ne nous paraissait donc justifier le recours accéléré à une action militaire.

Une deuxième différence d'analyse concernait le lien de causalité entre les attentats du 11 septembre et l'intervention militaire en Iraq. Nous avons toujours montré la détermination la plus totale face au risque terroriste, en participant notamment à l'opération *Liberté immuable* en Afghanistan. Mais nous refusions d'établir un lien entre les réseaux terroristes et le régime iraquien, parce que nous ne disposions d'aucune information en ce sens. Notre soutien sans réserve à la lutte conduite par les

Etats-Unis contre le terrorisme ne signifiait pas que nous étions prêts à le combattre aveuglément, jusqu'à frapper sans preuve les pays dits de « l'axe du mal » : Iran, Iraq, Corée du Nord. A l'inverse, les autorités américaines ont très rapidement exprimé leur conviction qu'il existait un lien solide entre l'Iraq et le terrorisme.

Une autre raison explique cette divergence : la France était convaincue que l'ouverture d'un nouveau front militaire faciliterait le travail des forces du chaos. Nous avions pris la mesure du phénomène terroriste : opportuniste, rapide, capable de se greffer sur la moindre source de désordre, sur la moindre humiliation, sur la plus petite brèche dans la stabilité d'une région. En l'absence de perspective de paix au Proche-Orient, nous redoutions que la violence en Iraq ne fasse qu'attiser le ressentiment et la colère, mobiliser davantage encore tous ceux qui avaient déjà juré la perte des pays occidentaux et de leurs valeurs.

En définitive, les divergences d'analyse entre les Etats-Unis et un certain nombre de pays procèdent moins des événements récents, qui les ont cependant amplifiées, que de ressorts historiques plus profonds. Elles plongent leurs racines dans des analyses géopolitiques différentes depuis plusieurs années. Les malentendus qui en ont résulté expliquent pour une large part l'échec de nos efforts diplomatiques.

Le chemin de l'Onu pour relever le défi iraquien n'allait pas de soi aux yeux des Etats-Unis. Une partie de l'administration américaine, issue du courant néoconservateur, était par principe hostile aux enceintes multilatérales en général et aux Nations unies en particulier. Henry Kissinger souligne volontiers que les Etats-Unis n'ont pas une pratique des relations internationales comparable à celle des Etats européens, marqués par des siècles d'alliances, de négociations, de traités, d'accords, de concessions, bref, de diplomatie. A côté de la France héritière du pragmatisme de Richelieu, partisan des relations entre Etats fondées sur l'habileté, la transaction et l'exploitation des avantages nationaux, les Etats-Unis affirmeraient leur puissance et refuseraient de la partager. Pour eux, tout accord serait considéré d'une façon ou d'une autre comme une compromission. Dans le concert des nations, les Etats-Unis n'envisageraient que la place de chef d'orchestre.

Certains responsables américains, comme Colin Powell, souhaitaient un passage par les Nations unies. Pour lui, le retour des inspecteurs constituait une première étape, qui permettrait de vérifier la bonne foi du gouvernement iraquien. Ensuite seulement il serait temps de tirer des conclusions et de passer à une autre étape. Mais la fraction la plus dure de l'administration américaine a-t-elle jamais cru à la possibilité de résoudre cette crise par l'intermédiaire des Nations unies ? A-t-elle vraiment envisagé que la communauté internationale prendrait en charge de bout en bout le problème posé par le régime de Bagdad ? Ou croyait-elle que le passage par les Nations unies était une formalité nécessaire qui n'interdirait donc pas aux Etats-Unis de poursuivre leur propre politique ?

En intervenant à la tribune des Nations unies en septembre 2002, le président George W. Bush tranchait en faveur de la ligne définie par Colin Powell. Le choix était courageux, mais pas exempt d'ambiguïtés. Sur l'objectif final des autorités américaines d'abord : s'agissait-il de désarmer l'Iraq ou de renverser le régime ? Plusieurs responsables américains laissaient entendre à mots plus ou moins couverts qu'ils ne se satisferaient pas d'un simple désarmement de Bagdad, et que la question ne serait considérée comme réglée qu'avec le départ de Saddam Hussein. Une seconde ambiguïté portait sur les chefs d'accusation à l'encontre du régime : prolifération ou liens éventuels avec le terrorisme ? Aucune preuve de ces liens n'avait été apportée en dépit des efforts déployés.

Des interrogations subsistaient également sur la volonté des Etats-Unis de préserver l'unité de la communauté internationale : le président George W. Bush lui-même n'avait pas fait mystère de sa détermination à se passer de l'autorisation du Conseil de sécurité pour intervenir militairement en Iraq, au cas où les Nations unies ne parviendraient pas à s'entendre sur cet objectif. D'ailleurs, dès octobre 2002 et avant même la montée en puissance du système d'inspection des Nations unies en Iraq, le Congrès avait autorisé le président américain à utiliser la force. La négociation sur une nouvelle résolution réclamant le désarmement immédiat et complet de l'Iraq s'est donc ouverte dans un climat moins uni, moins transparent qu'il y paraissait. Ce sont ces ambiguïtés qui ont abouti aux malentendus de l'année 2003.

Les grandes lignes de la position de la France lors de la négociation du nouveau projet de résolution sur l'Iraq avaient été fixées dès le départ par le président de la République. Oui, une résolution exigeant le retour des inspecteurs en Iraq s'imposait. Elle constituerait une garantie de sécurité pour l'ensemble de la communauté internationale et préserverait en outre l'unité de la coalition qui avait été mise en place à la suite des attentats du 11 septembre, afin de lutter contre le terrorisme. Il s'agissait donc d'un enjeu majeur.

L'objectif fixé était la vérification et, le cas échéant, la mise en évidence et la destruction des stocks d'armes de destruction massive prohibés. S'il n'était pas question d'un changement de régime, son évolution était nécessaire et souhaitée par la France. Une bonne application de la résolution ne manquerait pas d'entraîner des changements profonds. Le projet d'un renversement militaire du régime tyrannique de Saddam Hussein en Iraq, quant à lui, posait au moins deux problèmes majeurs. Comment être certain d'atteindre par une opération militaire un objectif de démocratisation dont la réalisation nécessite un processus de longue haleine ? Comment s'assurer qu'une opération de ce genre n'allait pas provoquer un embrasement régional ?

On l'a dit, l'épreuve iraquienne était l'occasion pour la communauté internationale de forger une méthode de gestion pour d'autres crises ouvertes ou en germe. L'association terrifiante des deux facteurs présents en Iraq – menace de prolifération et régime antidémocratique – n'est malheureusement pas exceptionnelle. La volonté américaine de venir à bout de ces deux menaces, certes liées, mais de nature très différente, supposait que le renversement militaire du régime de Saddam Hussein crée un précédent. Mais elle se proposait ainsi d'introduire un facteur d'instabilité permanente dans la gestion des affaires internationales. Nous pensions, quant à nous, qu'il était possible de prendre appui sur les dispositions prises en matière d'inspection et d'élimination des armes de destruction massive iraquiennes pour s'attaquer ensuite à d'autres menaces, dans d'autres pays.

La méthode, de même que l'objectif de la résolution, devait apparaître clairement. Le point essentiel était de préserver la liberté de décision du Conseil de sécurité pour tout recours à la force. Dès le début, nous avions indiqué sans aucune ambiguïté que nous ne pouvions accepter une résolution prévoyant un recours automatique à la force, selon une règle conforme au statut du Conseil : comment aurait-il accepté de se déposséder de sa prérogative majeure ? Selon une règle de prudence également : l'emploi de la force est une décision grave. Elle doit être appréciée en connaissance de cause, au terme d'un examen collectif rigoureux. Encore une fois, la situation semblait trop préoccupante pour sacrifier la légitimité de la décision à une volonté d'accélération des procédures. C'est pourquoi le président de la République avait suggéré une démarche en deux temps : une première résolution exigeant le retour immédiat et sans condition des inspecteurs en Iraq ; et si les autorités iraquiennes refusaient de se soumettre à cette exigence, une deuxième résolution tirant les conséquences de ce refus et examinant toutes les options, y compris le recours à la force. Cette méthode permettait au Conseil de sécurité de conserver la maîtrise du processus à chacune de ses étapes. Elle traçait la voie d'un compromis possible entre des pays qui n'envisageaient pas une opération militaire contre l'Iraq et la position des Américains, pour qui une telle opération s'imposait. Cette approche en deux temps reconnaissait que l'Iraq constituait une menace potentielle pour la sécurité internationale et mettait en place les moyens de la traiter, sans exclure l'utilisation de frappes militaires.

La question du recours à la force a sans conteste été l'un des aspects les plus difficiles de la négociation. Pour les Etats-Unis, la résolution devait prévoir le recours automatique à la force en cas de violation flagrante. Ils n'envisageaient pas un retour devant le Conseil de sécurité, encore moins une seconde résolution. De la sorte, ils gardaient une liberté d'appréciation entière de ce qu'ils jugeraient être une « violation flagrante » de la résolution. Ils se « soumettaient » au droit international, mais conservaient la possibilité de s'en dégager au moment où ils le jugeraient opportun.

On touche ici au deuxième nœud de la négociation : la définition des autorités à même d'apprécier si l'Iraq respectait ses engagements au titre de la nouvelle résolution. Le choix français était clair : nous voulions confier la responsabilité des inspections et de la destruction éventuelle des armes de destruction massive iraquiennes aux inspecteurs des Nations unies sur le terrain ; c'était donc à eux qu'il appartiendrait de tenir le Conseil informé de toute violation par les Iraquiens de leurs engagements.

Cette question de principe reflétait deux conceptions différentes au sein des Nations unies. Soit les Nations unies fonctionnent sur le modèle d'une démocratie mondiale, où la voix de chaque Etat permet de dégager des décisions et des orientations, le Conseil de sécurité étant l'organe exécutif. Soit elles sont une enceinte de délibération, une chambre d'enregistrement, dont les choix n'ont de valeur que s'ils sont entérinés par le plus puissant de leurs membres. Ces divergences soulignaient l'importance d'aboutir, malgré d'âpres discussions, à un texte laissant le moins de place possible à l'interprétation subjective des faits.

Au terme de plusieurs semaines de discussions serrées, un compromis s'était dégagé sur chacun des points litigieux. En cas de violation de ses engagements par l'Iraq, un rapport des inspecteurs permettrait au Conseil de sécurité d'évaluer la situation. Un accord avait aussi été trouvé sur les différentes hypothèses de violation flagrante et sur leur rattachement au dispositif opérationnel. Enfin, toute preuve de violation avancée par un Etat membre du Conseil devait être vérifiée par les inspecteurs.

Le texte de la résolution 1441 adoptée le 8 novembre 2002 était donc une réussite du travail multilatéral, l'issue d'une épreuve que la communauté internationale avait surmontée dans l'unité. Inévitablement, elle conservait certains stigmates des concessions que les uns et les autres avaient dû faire. Plus tard, les Etats-Unis soutiendraient que la résolution comportait l'autorisation du recours à la force contre l'Iraq sans qu'une seconde résolution fût nécessaire, tandis que nous ferions valoir avec détermination une interprétation contraire. De telles contradictions n'étaient sans doute pas évitables. Du moins la résolution 1441 posait-elle des bases raisonnablement solides au règlement de la crise iraquienne. Son objectif premier ne souffrait pas de discussion : le désarmement complet et immédiat de l'Iraq. C'est pourquoi un régime d'inspection renforcé était institué, dans le but de donner à la communauté internationale les garanties qu'elle était en droit d'attendre en vue de la stricte application des résolutions du Conseil de sécurité.

Tout au long de la négociation, la France s'est employée à faire adopter la résolution à l'unanimité. Elle a maintenu un contact régulier avec la Chine et la Russie pour que ces deux pays soutiennent le processus en cours et ne se contentent pas d'une attitude de neutralité bienveillante. En effet, la sincérité et l'engagement total des différentes parties étaient essentiels pour donner tout son poids au compromis recherché. Elle a convaincu chacun des membres les plus réticents du Conseil, un par un, d'apporter leur voix. Quelques heures avant le vote, des contacts téléphoniques jusqu'au niveau du président de la République et de son homologue Bachar Al-Assad ont permis d'arracher l'accord de la Syrie, alors membre non permanent du Conseil de sécurité.

L'unité du Conseil a été construite patiemment, avec détermination. Elle constitue à notre sens l'un des succès majeurs de la négociation menée des mois de septembre à novembre 2002 : pour la première fois, un avertissement unanime était adressé aux autorités iraquiennes. Elles obtempéreraient rapidement à la décision de la communauté internationale, ou s'exposeraient aux plus graves conséquences. Certes, cette unanimité a été obtenue en tenant compte des données du problème iraquien, et de la pression américaine : les membres du Conseil n'ignoraient évidemment pas qu'au-delà de l'Iraq était en jeu une certaine conception du rôle des Nations unies dans le monde, et que de la capacité du Conseil de sécurité à décider dans l'affaire iraquienne dépendrait sans doute grandement, à l'avenir, son aptitude à jouer un rôle dans le règlement des problèmes. La valeur de test que nous avions voulu donner à la crise iraquienne était présente dans tous les esprits.

Il n'en reste pas moins qu'une décision unanime sur l'Iraq paraissait d'autant plus difficile à obtenir que la gravité et l'immédiateté de la menace représentée par ce pays ne faisaient pas l'objet d'un consensus *a priori*. Dès le début de la négociation, la diversité de la composition du Conseil paraissait un obstacle : comment convaincre des pays d'Amérique latine, comme le Mexique et le Chili ; du Proche-Orient, comme la Syrie ; d'Asie, comme le Pakistan et la Chine ; d'Afrique, comme l'Angola, le Cameroun et la Guinée ; d'Europe, comme le Royaume-Uni, la France, l'Espagne, la Russie et la Bulgarie ; et d'Amérique du Nord, spécialement les Etats-Unis, de se mettre d'accord sur un même projet ? La diversité du Conseil est devenue la plus solide justification de la légitimité de son action. Ce n'était pas une partie du monde qui prenait fait et cause contre une autre partie, ni un groupe d'Etats homogène qui dictait sa volonté à un autre, mais la communauté internationale tout entière qui adressait un message puissant aux autorités de Bagdad.

Les Etats membres du Conseil de sécurité sont donc capables de prendre des décisions unanimes dans des délais raisonnables. Ils savent définir un plan d'action et dégager les moyens adéquats pour le mettre en œuvre. Leur diversité peut devenir une chance. Elle permet de faire comprendre et accepter des choix souvent délicats, qui engagent la souveraineté des Etats. Devant les enjeux de sécurité auxquels nous sommes aujourd'hui confrontés, qu'il s'agisse du terrorisme ou de la prolifération des armes de destruction massive, il n'est plus question de nous priver de cette carte maîtresse.

En définitive, la leçon la plus importante de la résolution 1441 aura été l'affirmation d'une véritable Communauté internationale. Cette victoire de la diplomatie ne se résume pas à cela. Elle n'aurait pu être acquise s'il n'avait existé entre les Etats une base de consensus, un corpus de principes et de valeurs communs en voie de constitution. Cet acquis explique la très large et très forte adhésion des opinions publiques à travers le monde.

Dès la fin du mois de novembre les équipes d'inspecteurs de la Commission de contrôle, de vérification et de surveillance, et ceux de l'Agence internationale de l'énergie atomique reprenaient sur le terrain les visites des sites suspects. En trois mois leurs travaux avançaient dans la bonne direction, alliant résultats concrets et signes d'une soumission progressive du régime de Bagdad aux exigences de la communauté internationale. Certes, les autorités iraquiennes n'avaient pas encore prouvé la pleine et entière coopération que nous étions en droit d'attendre d'elles. Mais sur les points les plus sensibles, nous commencions à enregistrer des résultats : l'interrogatoire des scientifiques iraquiens, la destruction des missiles Al-Samoud constituaient des éléments tangibles à mettre au crédit des inspecteurs. Nous étions sur la bonne voie. Rien ne nous empêchait de la consolider.

L'urgence allait ainsi au renforcement des moyens mis à la disposition des inspecteurs. Avec nos partenaires russes et allemands nous avons réfléchi sans relâche à la meilleure façon d'améliorer le fonctionnement des inspections. A chaque étape nous informions les Etats-Unis et le Royaume-Uni de nos propositions, afin de les convaincre de nous rejoindre. Les autres membres du Conseil de sécurité ont eux aussi été régulièrement tenus au courant. La démarche que nous avons adoptée répondait aux progrès sur le terrain. Elle renforçait leur crédibilité et témoignait de la vigilance de tous les membres du Conseil.

Or, à chacun des rapports des inspecteurs, les critiques américaines se fondaient sur l'interprétation des intentions de Saddam Hussein, et minimisaient les avancées concrètes. La dévalorisation des résultats obtenus s'expliquait par la volonté américaine de substituer progressivement une logique militaire à la logique de coopération. Durant les trois premiers mois de l'année 2003, les Etats-Unis ont adopté une position qui laissait de plus en plus clairement entendre que les jeux étaient faits. Les Nations unies, qui avaient donné leur feu vert au retour des inspecteurs en Iraq, devraient désormais donner leur autorisation à un recours à la force. Brusquement, et sans raison valable, le temps manquait pour conduire à son terme un processus qui avait pourtant montré son efficacité. C'est ce sentiment d'urgence, profondément ressenti par les uns, incompréhensible pour les autres, qui a pris le pas sur le calendrier de travail.

L'inflexion du discours américain s'est faite suivant trois lignes convergentes : la substitution de l'objectif de changement de régime à celui du désarmement de l'Iraq ; le doute sur l'efficacité des inspections ; l'accélération du programme militaire. Au fil des semaines, la volonté d'un changement de régime est passée au premier plan, reléguant le désarmement au second. Au regard de la dictature qui régnait à Bagdad, cet objectif était parfaitement compréhensible : qui n'aurait pas souhaité le départ de Saddam Hussein et de son gouvernement ? Mais la communauté internationale s'était entendue sur un autre but : le désarmement complet et immédiat du pays. Etait-il acceptable de changer de ligne après quelques semaines seulement de mise en œuvre de la résolution 1441 ? Pourquoi s'efforcer d'établir un consensus au Conseil de sécurité sur une décision précise, pour s'en abstraire par la suite ?

En réalité, plus les inspections s'avéraient efficaces, plus leurs résultats mêmes compromettaient l'objectif désormais prioritaire des Etats-Unis : le renversement du régime de Bagdad. Si l'Iraq pouvait être désarmé pacifiquement grâce au système des inspections, plus rien ne justifierait de s'attaquer militairement à Saddam Hussein. Les Nations unies, loin de représenter une solution, apparaissaient aux yeux de Washington comme un obstacle.

Le bras de fer

Restait à savoir si l'ensemble de la communauté internationale accepterait ce changement de cap. La date du 20 janvier 2003 révéla la fissure qui s'était creusée de manière presque insensible. Elle allait diviser les Nations unies et, au-delà, la conscience mondiale. J'ai rappelé la position de la France lors d'une conférence de presse suivant une réunion exceptionnelle du Conseil de sécurité, convoquée à notre initiative, sur le terrorisme : les inspections produisent des résultats ; elles doivent donc se poursuivre ; il n'y a aucune raison pour entrer dans une logique de guerre ; si le processus d'inspections échouait, alors nous serions prêts à examiner toutes les options, y compris le recours à la force. Mais cette question ne se posait pas, à nos yeux, tant que l'échec des inspections n'avait pas été constaté.

Il n'y avait là rien de nouveau, si ce n'était le lieu choisi – l'enceinte des Nations unies – et surtout le moment, avec la montée en puissance du dispositif américano-britannique dans le Golfe. Pouvait-on parler, à l'instar de la presse américaine, d'une embuscade diplomatique tendue au secrétaire d'Etat américain ? Il s'agissait plutôt d'un retour à la réalité, une réalité en marche, galopante. A cet instant précis, la clarté et la franchise s'imposaient d'autant plus que le Département d'Etat avait déjà rendu les armes devant la montée en puissance du Pentagone et la détermination de la Maison-Blanche. Rapidement tout basculait, sans que rien ne soit officiellement dit. Chaque jour, la communauté internationale était placée devant le fait accompli. Fallait-il continuer à deviser autour du tapis vert, alors que l'administration tout entière se préparait à la guerre ? Beaucoup voulaient croire que nous nous rallierions, sans mot dire, en reniant à la fois le travail produit par les inspecteurs et le mandat fixé par le Conseil de sécurité. Nous avons refusé d'entrer dans cette logique, par fidélité à nos principes. A nos yeux, les véritables enjeux étaient bien la paix, la stabilité et la défense d'un ordre mondial autour des Nations unies.

En filigrane se dessinait l'émergence de ce monde multipolaire que la France, depuis le général de Gaulle, appelle de ses vœux, et l'avenir du lien transatlantique qui avait constitué la pierre angulaire du système international, de la fin de la Seconde Guerre mondiale à la chute du communisme. Des lignes de fracture se dessinaient au cœur de l'Europe. D'un côté, les Etats-Unis avaient rallié à leur position le Royaume-Uni et l'Espagne, ainsi que l'Italie et certains pays d'Europe de l'Est, qui revendiquent la protection du bouclier américain. De l'autre, la France et l'Allemagne, soutenues par la Russie, avaient choisi de maintenir leurs principes.

Le 20 janvier a révélé des divergences restées jusque-là cachées. Car deux logiques opposées se dressaient face à face. Les exigences croissantes du calendrier militaire et la progression du processus d'inspection ne pouvaient qu'entrer en confrontation à un moment ou à un autre, sauf à envisager deux hypothèses : un ultimatum qui reporterait de façon raisonnable le déclenchement des opérations militaires, afin de laisser aux inspections le temps d'aboutir ; une provocation ouverte et délibérée de Saddam Hussein, qui rendrait impossible le travail des inspecteurs et conduirait à leur départ d'Iraq. Aucune de ces deux hypothèses ne s'étant produite, il ne restait plus qu'à sonner la fin de la partie.

La France, comme membre permanent du Conseil de sécurité, ne pouvait éluder la question d'un usage éventuel de son droit de veto. Cette question lui était posée avec insistance par les membres non permanents qui, dans l'hypothèse d'un vote, devraient exprimer leur choix les premiers. Nous avons donc été amenés à confirmer que nous étions prêts à prendre nos responsabilités. Cette position nous fut vivement reprochée. En réalité, la question de l'utilisation du veto ne se posait pas pour une raison simple : manifestement les Etats-Unis et leurs alliés n'avaient pas de majorité au sein du Conseil de sécurité ; or le « non » d'un des cinq membres permanents ne devient un veto que si une majorité d'Etats se prononce en faveur d'un projet de résolution.

L'ultimatum posé à l'Iraq était fixé au 17 mars, soit une semaine plus tard. Les délais proposés étaient trop réduits pour dissimuler la volonté d'intervenir rapidement. Les six Etats dits indécis ne s'y sont d'ailleurs pas trompés et ils confirmèrent qu'ils ne se rallieraient pas à la position britannique. Celle-ci revenait à entériner sans justification une entrée en guerre. Elle commencera d'ailleurs sans que le projet de résolution ait été soumis au vote. Le sommet des Açores du 16 mars a mis l'Onu hors jeu, marquant la fin de l'étape multilatérale. La conclusion est claire : jamais le projet de recours immédiat à la force, à peine dissimulé par un ultimatum en trompe-l'œil, n'aura convaincu la majorité des Etats membres du Conseil.

Quelques heures après l'expiration de l'ultimatum adressé par le président américain à Saddam Hussein, les opérations militaires s'engagent. Alors que le Conseil de sécurité vient d'entendre Hans Blix, ancien ministre des Affaires étrangères suédois, présenter le programme de travail des inspecteurs, des bombardements massifs s'abattent sur la capitale iraquienne et sur plusieurs autres villes du pays. L'artillerie prend pour cible les infrastructures assurant l'alimentation en eau et en électricité, afin de désorganiser la défense iraquienne et de démoraliser la population. Simultanément, des troupes et des blindés entrent dans le pays par la frontière sud. Dans les villes d'Oum-Qasr et de Bassorah, les troupes américaines rencontrent une résistance plus forte que prévu ; elles contourneront les agglomérations et se dirigeront vers Bagdad pour y provoquer la chute du régime.

Après environ trois semaines de combats, l'armée américaine entre dans la capitale iraquienne. Le 9 avril, les marines renversent symboliquement la statue géante de Saddam Hussein dressée sur une des principales places de la ville. Le régime s'effondre tandis que les marines prennent le contrôle du palais présidentiel. Dans un discours prononcé le 1er mai à bord du porte-avions USS *Abraham Lincoln*, au large des côtes de la Californie, le président Bush annonce la fin des grandes opérations militaires en Iraq ; s'ouvre une nouvelle phase, au cours de laquelle les forces de la coalition doivent désormais restaurer la sécurité dans le pays, puis le reconstruire.

Maîtres du terrain, les Etats-Unis découvrent les difficultés de leur position. Ils se heurtent tout de suite à une résistance certes sporadique, mais qui, jour après jour, fait dans leurs rangs des blessés et des morts. De cette situation, tout le monde va payer le prix : les pays de la coalition, dont les contingents sont cruellement frappés les uns après les autres ; mais également l'ensemble de la communauté internationale, comme l'attestent les attentats du 19 août à Bagdad contre le Comité international de la Croix-Rouge et les Nations unies, où Sergio Vieira de Mello trouvera la mort. Sans parler de la population iraquienne, qui dissimule mal son désarroi.

Une majorité d'Iraquiens croyait que la puissance des Etats-Unis résoudrait leurs problèmes, comme elle avait su chasser Saddam. Les scènes de pillage, dont celui du Musée archéologique de Bagdad sous l'œil indifférent de soldats américains, sèment bientôt le trouble. Désormais confrontée au problème de la reconstruction d'un pays, de la remise en marche d'une société complexe, de l'établissement d'une démocratie là où il n'y en eut jamais, l'Amérique paraît désorientée. En quelques mois l'Iraq est devenu une véritable plate-forme offerte à l'action de groupes terroristes. Après s'être attaqués aux forces militaires, ils s'en prennent aux institutions qui participent à la reconstruction du pays, ou aux Iraquiens eux-mêmes, sans autre objectif que le chaos, sans autre stratégie que le harcèlement continu. Ils trouvent des relais à l'extérieur et franchissent sans difficulté des frontières impossibles à contrôler. Le fléau commence à gagner les Etats voisins. La Syrie pour la première fois est victime d'actes terroristes. L'Arabie Saoudite est également durement frappée, avec une violence ciblée contre les étrangers, destinée à déstabiliser le régime. La gangrène extrémiste s'étend à l'ensemble de la région, prend appui dans certains pays du pourtour méditerranéen et menace le territoire européen. L'Iraq de ce point de vue est à la fois un champ d'expérimentation, une motivation idéologique qui justifie le combat fondamentaliste, et une base favorable à tous les trafics et à tous les endoctrinements.

Ne l'oublions pas : les guerres récentes furent pour les organisations terroristes autant d'occasions exceptionnelles. Elles leur ont ouvert l'accès à des armements et à des explosifs, facilité la formation d'individus venus d'horizons différents, et fourni des justifications à leur combat. C'est vrai de la Bosnie, hier lieu de transit régulier de nombreux groupes affiliés à la mouvance terroriste, aujourd'hui point de passage important de la criminalité organisée. C'est vrai de la Tchétchénie, où ont été dispensées des formations spécifiques. C'est vrai de l'Afghanistan, dont les camps de formation ont accueilli pendant des années des prosélytes du terrorisme. C'est vrai aujourd'hui de l'Iraq.

Comment rétablir le calme ? Personne n'a intérêt à voir l'insécurité persister sur place. Au contraire, il est essentiel pour nous tous, Américains, Européens ou Etats de la région, que le pays trouve enfin son équilibre et sa stabilité. Un Iraq divisé, en proie au chaos, travaillé par des mouvements nationalistes ou autonomistes, constitue un foyer de désordre dangereux pour l'ensemble de la région. La voie du renforcement des moyens militaires paraît sans issue : elle ne réussira qu'à durcir les résistances, susciter de nouvelles vocations, attiser la violence.

La peur s'installe alors dans les deux camps, rend plus difficile le travail en commun, pourtant indispensable pour remettre le pays sur pied. Elle obscurcit l'avenir et peut conduire aux pires dérives, à la torture et à l'infamie. Les images des sévices infligés à des prisonniers iraquiens par certains soldats américains dans la prison d'Abou Ghraib ont bouleversé le monde. Elles sont le témoignage le plus dur d'une aventure qui s'égare. Elles montrent comment une grande démocratie peut en arriver à bafouer les valeurs mêmes qu'elle veut défendre.

Chaque événement historique obéit à sa propre causalité, à ses propres règles. Mais il faut garder à l'esprit les leçons du passé. Pour nous, Français, l'exemple de l'expédition d'Espagne est révélateur des dérives de l'esprit de conquête. En 1808, Napoléon est à l'apogée de sa puissance. Victorieux à Austerlitz, Iéna puis Friedland, il n'a plus de rival militaire sur le continent. Mieux, il possède un allié en la personne du tsar de Russie. Le Grand Empire s'esquisse avec l'avènement des Napoléonides en Hollande et à Naples, tandis que Jérôme hérite du nouveau royaume de Westphalie, forgé sur les débris d'une Prusse tout juste amputée de la moitié de son territoire. Si elle domine militairement, la France entend parallèlement régénérer le corps vermoulu de l'Europe monarchique en répandant partout son modèle administratif et institutionnel respectivement incarné par les préfets et le code civil. La force marche de pair avec l'esprit, l'hégémonie française croyant se justifier par sa fidélité à la Révolution.

Libre d'entraves, Napoléon s'autorise à tout oser. Jusqu'alors, il a toujours attendu d'être attaqué pour riposter, ce qui le place en état de légitime défense devant l'opinion et garantit l'union sacrée autour de sa personne. Oui, mais il n'a pas encore vaincu l'Angleterre dont l'or a suscité les premières coalitions. Sachant depuis Trafalgar qu'il ne peut plus l'envahir, il a pris, fin 1806, le pari de l'étouffer économiquement par le blocus continental. Cette décision l'oblige, par l'alliance ou la contrainte, à dominer toutes les côtes de l'Europe. Dans ce nouveau contexte, la péninsule Ibérique acquiert une importance stratégique déterminante. Si le Portugal est anglophile, l'Espagne s'avère au contraire une alliée fidèle de l'Empereur, à la suite du fameux pacte de famille négocié par Choiseul.

Profitant des divisions de la famille royale espagnole, Napoléon commet l'irréparable en organisant le guet-apens de Bayonne. Au lieu de la médiation promise, l'Aigle procède à une annexion déguisée : il oblige Charles IV et son fils à abdiquer en faveur de son frère Joseph. Fidèle disciple des Lumières, Napoléon est persuadé que toute l'Espagne va se lever d'enthousiasme à la perspective de sa régénération. Erreur fatale qui ignore à la fois l'orgueil national d'un peuple – forgé dans sa résistance à l'invasion musulmane – et le caractère de sa société, farouchement royaliste et catholique.

Les *Dos* et *Tres de Mayo* sonnent le tocsin de la révolte qui se propage aussitôt dans tout le pays. La toute-puissance de la première armée du monde se heurte à une invisible guérilla qui procède par coups de main et embuscades, imprenable car diluée au sein même de la population. Les meurtres répondent aux meurtres, la torture à la torture dans des conditions atroces sous les yeux impuissants du pauvre Joseph qui tente en vain d'arrêter le massacre, espérant gagner l'estime de ses « sujets ». Cinq ans plus tard et après une hécatombe de quatre cent mille morts, la Grande Armée repasse piteusement la Bidassoa, laissant la place à une Restauration meurtrière qui visera au premier chef les élites libérales du pays, coupables d'avoir collaboré avec l'occupant.

Conçue dans une logique militaire de guerre préventive contre l'Angleterre, l'intervention française a eu l'effet inverse de celui recherché. Non seulement elle a précipité la chute de l'Empire napoléonien, mais elle a aussi gravement discrédité les idéaux de la Révolution, retardant dans des conditions dramatiques la marche de l'Espagne vers la démocratie. Elle a puissamment affaibli et discrédité la France dans toute l'Europe en blessant mortellement sa légitimité morale de grande nation libératrice, incarnation des idéaux proclamés par la Déclaration des droits de l'homme. Comme l'avait remarqué un certain Maximilien Robespierre : « Personne n'aime les missionnaires armés. »

L'avenir paraît aujourd'hui incertain. Le rétablissement de la souveraineté iraquienne le 28 juin 2004 finira-t-il par déclencher un cycle vertueux et redonner enfin confiance aux habitants de ce pays ? Combien de temps faudra-t-il pour que cessent les attentats et les exécutions ? Les forces d'ordre et d'avenir finiront-elles par l'emporter sur ceux qui cherchent à anéantir tout espoir ?

Il faut avancer ensemble. Pourquoi alors revenir sur cette épreuve ? J'ai longtemps scruté le visage des anciens, engagés dans les guerres de leur siècle et qui, pudeur ou choix résolu, faisaient silence sur leurs années de feu. Mais je crois aux mots qui gravent la mémoire des tempêtes. D'autant que la crise iraquienne n'est pas une crise comme les autres. Elle ne constitue pas un incident de plus dans la grande marche du monde, mais marque une rupture majeure dans l'histoire de notre temps, ouvre un divorce possible entre des cultures et des religions différentes. Quelle audace, quelle énergie, quelle détermination faudra-t-il pour sceller la réconciliation entre les peuples qui aspirent à se connaître ! La tragédie iraquienne est bien l'histoire d'un piège qui peut tourner à la catastrophe ou au contraire nous donner l'énergie du sursaut, à travers un chemin de peine gravé au flanc du monde.

S'il n'y avait eu, derrière la politique américaine au lendemain du 11 septembre, l'inexorable mécanique de cette peur immense enchaînée au sentiment de puissance, comme arme et bouclier, face à l'inacceptable, l'issue de la crise aurait été différente. S'il n'y avait eu le ressort si violemment tendu de l'idéologie, si le fusil n'avait été qu'à un coup, peut-être la France aurait-elle alors jugé que la bataille ne méritait pas d'être livrée ainsi. Qu'une voix plus discrète aurait pu être mieux entendue, voire devant l'inéluctable que l'intérêt commun était de laisser faire pour optimiser les vertus du consensus. Mais devant une telle méprise sur la réalité du Moyen-Orient, devant une idéologie aussi déterminée, prête à prouver le mouvement par la force, aujourd'hui à Bagdad, demain peut-être ailleurs, nous avons pensé qu'il fallait aller jusqu'au bout et tenir bon. Les principes devaient être maintenus, la bataille de la légitimité internationale menée sans faiblesse, en Afrique, en Amérique latine comme en Asie.

Sans conteste, le tournant s'est opéré au début de l'année 2003 : après le temps de la diplomatie, l'administration Bush avait rapidement tourné la page. A peine étaient-elles engagées, le principe même des inspections était publiquement posé. A quoi bon tout cela ? répétait-on à Washington. Tout convergeait vers un usage rapide de la force, exemplaire et sans appel. Ne devait-elle pas amener la paix et la démocratie en Iraq et au Moyen-

Orient ? A chaque rendez-vous du Conseil de sécurité, j'ai martelé le même message : une autre voie est possible, la force ne peut qu'aviver les plaies, démultiplier les violences. Le 14 février, j'ai pensé qu'il fallait parler pour aujourd'hui, mais aussi pour demain. Je parlais pour convaincre et pour toucher le cœur, guidé par la mémoire et par l'espoir de tant de Français, d'Européens et d'autres peuples fraternels. L'enjeu n'était plus seulement d'« indices » ou de « preuves », de manipulations ou de mensonges, de comptabilité d'armes ou de produits toxiques, mais bien de visions du monde. La France avait avec elle la majorité des pays du Nord et du Sud. J'étais fier, à cet instant, de porter cette voix française qui m'avait si souvent fait vibrer. Soudain j'en mesurai toute la force.

La vision et les convictions développées par Jacques Chirac depuis tant d'années sur la scène internationale ont trouvé là leur meilleure illustration. Il avait eu la force de réagir en Bosnie, en Afghanistan ou au Proche-Orient, de s'engager inlassablement au service des peuples opprimés et des plus pauvres, de défendre le dialogue des cultures et l'exigence d'un développement durable, d'avancer en première ligne dans la lutte contre la prolifération des armes de destruction massive et le terrorisme. Là encore il a montré le chemin. Jour après jour, je l'ai observé, lucide, exigeant. Fort de cette sérénité qui ne peut être le fruit que de la réflexion et de l'expérience. Combien de fois l'ai-je vu indigné face au mépris, à l'incompréhension ou à l'intolérance, refusant la morale des donneurs de leçon, soucieux de préserver le dialogue des hommes et des mondes entre eux. Dans l'action, sa détermination était entière, ouverte à l'échange, mais balayait la peur et la faiblesse, chassait tout esprit de compromission. La guerre, il la connaissait. Je revois ce jour de l'été 1995 où, venant d'apprendre l'attentat du métro Saint-Michel, il me demanda de l'accompagner sur place : dans sa vieille Citroën serpentant par les boulevards, je pensais à la douleur et à l'horreur que nous allions trouver là-bas. Dans le bruit des sirènes qui tentaient de déjouer les encombrements, la vitre baissée, le regard rivé sur les passants, sur les arbres qui défilaient, il me confia après un long silence : « Souvent dans le djebel, jeune lieutenant en Algérie, j'ai été confronté à la mort. On ne se remet jamais de la perte de l'un de ses hommes. Après, il faut vivre plus fort. »

CHAPITRE 4

L'ESPRIT DU MONDE

Prise dans le tourbillon de la haine et du fanatisme, la conscience se laisse trop souvent bâillonner, impuissante, emportée par le doute. Les convictions s'émoussent, les valeurs s'effritent sous la pression des événements. Ce qui est en jeu dans le Golfe ne concerne pas seulement les Etats-Unis et l'Iraq, mais notre volonté de ne pas laisser s'installer l'incompréhension entre les peuples. C'est pourquoi il faut s'extraire du tumulte des événements et se pencher sur le sens profond de l'altérité.

La rencontre entre l'Orient et l'Occident est jalonnée d'occasions manquées. « Le rêve le plus long de l'histoire », tel que l'a dépeint Benoist-Méchin, court d'Alexandre le Grand à Lyautey en passant par César, Frédéric de Hohenstaufen et Bonaparte. « L'Orient n'attend qu'un homme », constate ce dernier, inconsolable d'avoir manqué la prise de Saint-Jean-d'Acre qui lui ferme les portes du monde. Et pourtant, la fondation de l'Institut d'Egypte marque la volonté, inédite pour l'époque, de substituer à la domination militaire un dialogue des cultures dans le respect des identités de chacun. Ainsi, le vainqueur de Lodi prêche à ses troupes le respect de l'islam et confie des responsabilités aux élites locales. En dépit de son échec tragique, cet esprit d'ouverture sème les germes d'une influence qui perdurera jusqu'à nos jours, comme en témoigne le dynamisme de l'Institut français du Caire. Un Méhémet-Ali réformera l'Egypte avec le concours de conseillers français.

Le désir d'Orient a traversé plusieurs générations d'écrivains et d'aventuriers dès le XVIIIe siècle. Le voyage de Volney a servi de livre de chevet à Bonaparte durant son expédition, suivi des pèlerinages romantiques de Chateaubriand, Lamartine ou Nerval. Alors que l'Angleterre constitue le point de passage obligé de l'éducation politique, l'Orient demeure un bréviaire pour la religion, la culture, le rêve et la beauté.

A l'âge des connexions et des réseaux, de l'Internet et de la troisième dimension, tout est donné en même temps, le proche et le lointain. Tout est si facilement et si immédiatement accessible que la magie même de la rencontre s'est dissipée. Le désir s'estompe, l'exotisme n'est plus que pacotille, soigneusement aseptisé par l'internationale des marques et des produits. Le voyage autour de la planète en quatre-vingts secondes n'est jamais qu'un voyage autour de soi-même. Partir, oui, mais partir à la rencontre, prendre le risque de l'autre, le risque de l'ailleurs.

Il faut croire en l'homme et en sa grandeur quand il sait se délivrer de ses chaînes, s'abstraire du poids du monde, affirmer les normes, les règles et les principes qui donnent un sens à son existence. Il faut croire dans la force de l'idéalisme lorsqu'il parvient à façonner la vie. Aujourd'hui nous avons besoin de remettre d'aplomb nos valeurs, de retrouver la force de nos exigences. Non pour mieux combattre ceux qui s'opposent à nous, mais pour renouer avec cette quête initiatique qui a permis à l'Europe de devenir elle-même, fidèle à sa tradition d'ouverture et de dialogue. Il faut franchir l'étape du remords et du silence. L'homme a toujours su trouver le chemin pour sortir des ruines du passé. A notre tour, sachons renouer avec cette lucidité.

Quels sont aujourd'hui nos ennemis ? Les tyrans ? Les terroristes ? La pauvreté ? Le fanatisme religieux ? Les blessures du monde sont multiples. Par habitude, par faiblesse ou par peur, il est tentant de tout confondre dans un acharnement têtu contre un adversaire diabolique. Ne sous-estimons pas le poids des imaginaires, entre les héros de Hollywood et les enfants monstrueux de Ben Laden, mais revenons sur terre, à la « rugueuse réalité », pour déjouer les pièges par la ruse.

C'est le choix d'Ajax se lançant inlassablement à l'assaut des remparts troyens, ou celui d'Ulysse trouvant avec le cheval de Troie une ruse plus efficace. Avec Ajax nous prenons l'ennemi de face, nous lui offrons tous les champs de bataille dont il rêve. Avec Ulysse, nous adaptons nos armes : comme lui nous devenons multiples, secrets, habiles. Ulysse se distingue des grands héros homériques par sa capacité à user d'autres atouts que la force. Moins imposant qu'Agamemnon, il peut, par sa souplesse et son adresse, rivaliser avec Ajax dans la lutte. Mais il arrive à canaliser cette force, à l'employer avec discernement. Au fil de l'*Odyssée* il analyse les situations, use de circonspection, évite entre autres le piège que lui tend Calypso quand elle lui promet l'immortalité. Par sa ruse Ulysse déjoue les dangers d'une mer hostile, résiste au chant des Sirènes, échappe au Cyclope. A cette habileté aux contours multiples, il allie une retenue et une sagesse qui fondent son véritable héroïsme ; en cela il est bien le protégé, l'élu d'Athéna.

Au XXe siècle, la ruse et la grâce se sont rencontrées dans la silhouette frêle et fragile de Gandhi, habité par la conviction de la non-violence. Du Gujarat, sa région natale, à Londres où il fit ses études, jusqu'en Afrique du Sud où il vécut l'injustice de l'apartheid, il rêva d'un destin indépendant pour son pays. Il a su, en découvrant la force de la résistance passive, renverser le cours de l'histoire. De manifestations silencieuses en boycotts et en occupations de lieux publics, il a prouvé, ainsi que les milliers d'Indiens qui l'ont suivi, que l'obstination vient à bout de la force. Père de l'Inde libre, il a compris très tôt à quel point les affrontements religieux menaçaient la stabilité de son jeune pays. Son assassinat par un fanatique hindou, alors qu'il venait de mettre fin à son jeûne pour la paix à New Delhi, illustre cruellement où mènent l'incompréhension et l'intolérance.

Au-delà de leur héroïsme, qui reste une vertu individuelle, les exemples d'Ulysse ou de Gandhi sont révélateurs d'une sagesse en action. Refus de la résignation et en même temps conscience profonde des limites qu'impose le réel, la ruse permet d'échapper au cercle vicieux de la confrontation.

La redécouverte de l'autre

Les régimes totalitaires ont toujours fait de l'exaltation des vertus nationales l'une des clés de leur domination. Qu'il s'agisse de Staline utilisant les films d'Eisenstein pour exalter l'âme russe durant la Seconde Guerre mondiale ou de Saddam Hussein renouant avec les mythes de l'épopée babylonienne, le procédé se répète : faire de l'identité le ciment de la cohésion nationale et du rejet par la violence des influences extérieures.

Faut-il pour autant renoncer à notre histoire ? Non. Entre l'abandon de nos valeurs et la défense aveugle des identités, existe-t-il un chemin possible ? Comment partir à la rencontre de l'autre sans risquer l'affrontement ou la perte de nos repères ? Seule la singularité de l'homme permet de fonder une éthique. Mais elle prend aujourd'hui une autre signification qu'à l'époque des Lumières. Comment comprendre que la loi morale, si profondément ancrée dans la nature humaine, ait manqué à plusieurs reprises au cours de l'histoire, jusqu'à permettre l'expression de la pire barbarie au siècle dernier ? Comment expliquer ce véritable retour en arrière d'une humanité égarée jusqu'à nier son essence ? Notre nouvel humanisme porte en son cœur l'expérience indépassable de la rencontre : à l'épreuve de la différence il se fortifie en épousant les contours du monde nouveau.

Depuis la naissance du regard ethnologique, lointain héritage de l'esprit critique propre aux Lumières, la pleine reconnaissance de l'autre constitue le socle des sociétés modernes, ouvertes à la diversité du monde. Il ne suffit plus d'affirmer un idéal abstrait de tolérance ni de se proclamer citoyen du monde, d'autant que la perspective d'une humanité uniforme provoque la peur et l'inquiétude. Il s'agit au contraire de réaliser l'unité de l'humanité dans le respect de la diversité, de construire un monde non de semblables mais d'égaux. Si la mondialisation suscite tant d'angoisse, c'est bien parce qu'elle peine à trouver un équilibre entre l'uniformisation et le respect des différences, le mouvement de modernisation et la préservation des mémoires individuelles, le temps uniforme d'une histoire commune et les moments singuliers de chaque peuple. Ses effets apparaissent à chacun comme un ensemble contradictoire, où le meilleur côtoie le pire, où les gains généraux sont effacés par autant de désastres particuliers, où l'absence d'objectif et de direction se ressent chaque jour davantage. Aucune nation, aucun corps social, aucun individu ne consent des sacrifices et des efforts s'il n'en comprend pas la raison, s'il ne mesure pas les succès individuels et collectifs attendus. Nous sommes à ce moment de l'histoire de la mondialisation où le doute a pris le pas sur le progrès à marche forcée, où le poids des questions dépasse celui des réponses, où l'image rassérénée du futur ne suffit plus à éclairer la succession des jours.

Cette tâche difficile renvoie à des questions que l'humanité a toujours dû affronter, même si elle les pose à une échelle jamais vue auparavant. La méfiance à l'égard d'autrui constitue le point de départ, l'étape antérieure à tout contrat social. Elle mène irrémédiablement au rejet et à l'exclusion. Elle dénie à l'autre l'appartenance à la même humanité que nous, comme nombre de peuples qui s'approprient le qualificatif d'« hommes » et refusent cette qualité à leurs voisins. L'expérience de l'altérité ouvre alors sur l'abîme de l'incompréhension. L'autre se voit rejeté dans les ténèbres du monde des choses, tandis que les peuples se recroquevillent dans le réconfort de leur clôture. Même à la Renaissance l'universalisme ne s'entend que dans la chrétienté : il implique le rejet des infidèles qui refusent de s'y intégrer, à commencer par les Mahométans dont même le grand Erasme affirme que « tout ce ramas d'authentiques barbares est l'adversaire du genre humain ». Au prix du racisme et de l'exclusion, une communauté restaure son image ébranlée à ses propres yeux, quitte à abaisser l'autre. De plus, en dirigeant l'agressivité et la haine contre l'étranger, on évite aux pulsions hostiles de se manifester à l'intérieur du groupe et entre les individus qui le composent. Freud expliquait ainsi le « narcissisme des petites différences », qui pousse fréquemment des peuples à se détester et à se mépriser surtout s'ils sont voisins et se ressemblent.

A l'opposé de l'exclusion, l'indifférence est aussi un moyen d'effacer l'autre. Paradoxalement, cette forme de négation dérive de l'esprit de tolérance. Pour les humanistes, la redécouverte de la culture antique et d'une morale en dehors de la religion chrétienne, invite à considérer le pluralisme des opinions. Pour les philosophes des Lumières, les appels à la tolérance et au respect des autres cultures s'inscrivent dans une stratégie de lutte contre les préjugés et le « fanatisme ». Mais de cet idéal de tolérance naissent le scepticisme et l'« indifférence des religions » que dénonçait Bossuet.

Notre démocratie s'est construite sur l'affirmation de valeurs universelles, capables de renverser un ordre monarchique procédant d'une conception particulière de l'organisation du monde. La République, c'est un universel contre un autre universel, un ordre laïc contre un ordre divin. La déclaration de 1789 a bouleversé le monde au nom de ce pari sans précédent, qui est un pacte de tous les jours. C'est pourquoi les valeurs des droits de l'homme n'ont pas à être affaiblies ou relativisées. Elles peuvent naturellement subir la critique, sans quoi elles entreraient en contradiction avec elles-mêmes. Mais leur universalité fait partie intégrante de leur sens. Des droits de l'homme qui ne vaudraient que pour une seule partie de l'humanité ne seraient plus des droits de l'homme, mais de banales règles de vie commune.

L'Europe a la même ambition : elle ne vise pas seulement à trouver le mode démocratique le plus approprié à l'ensemble des Etats membres. Elle veut défendre des règles, des principes, des valeurs qui pourraient servir de modèle au reste du monde. Notre volonté de dépasser le règlement des conflits par la force en témoigne : ce principe s'applique naturellement aux Etats membres de l'Union européenne et aux Etats candidats. On imagine mal par exemple la Serbie entrer dans l'Union sans avoir au préalable réglé ses différends avec le Kosovo. Mais ce principe est appelé à s'étendre à d'autres pays, à d'autres régions. Il est le produit d'une expérience historique, de drames métaphysiques : les valeurs qu'il fonde ont la force et la vérité de l'universel. Elles ne sauraient être remises en question au nom du doute ou du relativisme.

Nous devons apprendre à reconnaître pleinement les différences, tout en préservant les droits de l'homme. C'est le défi auquel est confrontée la société française : il est au cœur des débats sur le modèle républicain, sur l'intégration, la laïcité ou la discrimination positive. Héritière des Lumières, la France accueille, parfois avec difficulté, la diversité et la différence. Elle accomplit un chemin symétrique à celui du monde : mosaïque de peuples et de cultures, jusqu'alors sans unité et sans conscience, l'univers a le devoir de se rassembler, de bâtir un espace commun et de trouver les moyens de l'action face à des problèmes qui, de plus en plus, le concernent dans sa globalité.

L'esprit de tolérance se doit de tenir compte de l'altérité, de la diversité des hommes et de leurs cultures. Notre rapport à l'autre oscille entre réserve et appel, sens des différences et besoin de fraternité. Il faut comprendre ce qui nous sépare pour mieux éprouver le sentiment de ce qui nous réunit. Expérience indispensable : dans notre monde désenchanté et désillusionné, notre capacité à aller dans la direction de l'autre, à le respecter, fait accepter la réalité du quotidien. L'autre oblige à sortir de la tranquille certitude de soi, à devenir responsable des outrages qu'il subit comme de ceux qu'il fait subir.

Le dialogue constitue la clé du monde nouveau. A la domination prométhéenne sur la nature se substitue la réconciliation entre les hommes et leurs cultures. A la logique froide de la raison instrumentale, fondée sur l'analyse et la segmentation, succède la connaissance par le partage et l'échange. Le dialogue fait avancer l'histoire. Parce que chaque culture offre aux autres une part de la vérité humaine, parce que aucune ne la détient tout entière. Parce que chaque peuple a besoin du contact avec l'autre pour s'épanouir et se construire. Les peuples sont passage et circulation. Rien ne l'illustre mieux que les liens innombrables entre les deux rives de la Méditerranée, qui ont constamment emprunté, dialogué l'une avec l'autre, forgeant notre identité et notre destin. Comme les deux lèvres d'une même bouche, elles ne parlent que lorsqu'elles sont accordées.

Précieux héritage méditerranéen. Mer de commerce et d'échanges, où l'huile circule dans des jarres et les étoffes dans les coffres des bateaux, mer par où le guerrier grec débarque sur les côtes de l'Afrique ; les rêves d'Ulysse y donnent la parole aux grottes et aux rochers. L'art roman, la Renaissance auraient-ils existé sans l'influence du Proche-Orient ? Le romantisme, de Goethe à Schumann, en passant par Hölderlin et Novalis, ne s'est-il pas enrichi de la poésie persane de Hafez et de Djami ? Se souvient-on d'Aragon, dont les vers lancent l'appel de la résistance intérieure au moment de l'Occupation : « Djami, Djami, de qui je n'étais que le chant prolongé. » Ainsi résonne l'invocation qui ouvre *Le Fou d'Elsa*, ainsi apparaît le point de départ, au loin sur l'autre rive. Et Adonis revendique à son tour sa poésie comme le chant prolongé de la Grèce antique, tandis que Mahmoud Darwich trouve une partie de sa force visionnaire et poétique mise au service du peuple palestinien, dans une démarche humaniste et universaliste des Lumières.

La voici la grande, l'inimaginable mission de notre époque : repenser la place de l'autre, reconstruire la relation à l'altérité en prenant la mesure des défis nouveaux. L'idéal abstrait de la tolérance ne suffit plus, dès lors que les identités revendiquent une place nouvelle. Saurons-nous bâtir un nouveau contrat entre les cultures, à l'échelle du monde ? Saurons-nous les faire dialoguer sans que l'une cherche à l'emporter sur l'autre ?

Le devoir de culture

Seule la culture donne sa profondeur et sa richesse à l'échange ; elle seule peut faire évoluer les consciences et créer, par le respect mutuel, les conditions de la paix. Les cultures sont des relais les unes pour les autres. Elles sont un instrument plus audacieux que la puissance. Au XVIIIe siècle, des intellectuels européens ont pris conscience de leur importance centrale dans la formation d'une nation politique. Des pays dont l'unité n'était pas assurée, comme l'Allemagne ou l'Italie, ont eu besoin, pour se forger, de l'élaboration d'une mémoire nationale. Aujourd'hui la culture sert moins à s'affirmer qu'à jeter un pont entre les peuples. Défendre sa culture, ce n'est pas revendiquer son identité au détriment d'autres nations, c'est chercher au contraire la singularité et la vérité préludant à une rencontre. Et au sein de ses propres traditions, c'est savoir choisir, séparer le bon grain de l'ivraie. C'est encore donner au handicap de la différence la simplicité de retrouvailles.

Dans son sens le plus riche et le plus généreux, la culture devient la meilleure arme contre la peur, qui nous rend aveugles au monde. Après le 11 septembre, l'effet de la menace terroriste a éveillé, aux Etats-Unis, la tentation d'oublier son héritage de nation multiple, au risque de susciter de puissantes réactions de rejet. Pourtant l'Amérique est vouée à retrouver le chemin de cette diversité qu'elle porte en elle-même. L'Europe, constituée de multiples identités qui font sa force et parfois sa faiblesse, ne doit pas agir autrement.

La culture est le fruit de la mémoire. Elle propose un système de production de sens autonome par rapport à une prétendue raison universelle dépourvue d'ancrage dans l'histoire et l'âme de l'homme. C'est un appui indispensable dans la marche vers la paix et la démocratie. Sans elle, rien de solide ne peut se construire. A l'inverse, le refus de la culture précipite la descente dans les Enfers de la barbarie, comme l'ont montré les talibans en Afghanistan. Dans ce pays, tous les signes de rattachement à une mémoire commune ont été systématiquement détruits ou effacés. Les écoles ont été fermées, les lieux de rencontre condamnés, les statues antiques brisées, comme les bouddhas de Bâmyân détruits à l'explosif. Il ne s'agissait pas seulement d'éliminer des représentations jugées contraires à l'esprit de l'Islam, mais de balayer la moindre trace du passé. Eradiquer la culture d'un pays revient à emprisonner un peuple dans l'ignorance de lui-même et des autres. Il est d'autant plus important aujourd'hui de réussir la transition politique en Afghanistan. Il y va de la crédibilité de la communauté internationale, mais aussi de la réaffirmation de l'identité afghane, qui a retrouvé en trois ans ses symboles, ses rites et son originalité.

La construction d'un ordre mondial stable ne se fera pas sans prendre en compte l'aspiration universelle à s'exprimer librement. La diversité culturelle joue un rôle essentiel dans la recherche de nouveaux équilibres. « Le Divers décroît. Là est le grand danger terrestre. C'est donc contre cette déchéance qu'il faut lutter, se battre – mourir peut-être avec beauté », écrivait en 1917 Victor

Segalen dans une des notes pour son *Essai sur l'exotisme. Une esthétique du divers*. Voyant la Chine s'ouvrir, déjà, à la modernité, il redoutait profondément l'amoindrissement de la richesse du monde, comme une menace de mort : « C'est par la Différence, et dans le Divers, que s'exalte l'existence. » Ce constat a gardé toute sa vigueur.

La déperdition de la diversité se vérifie dans d'autres domaines. L'écologie pointe la disparition de la biodiversité : on estime qu'environ six cents espèces animales connues se sont éteintes depuis le XVIIe siècle, et environ six mille sont en voie d'extinction. Ce processus est à l'œuvre depuis que la vie existe sur terre ; mais la rapidité avec laquelle les écosystèmes sont de plus en plus malmenés par l'action de l'homme ne laisse pas aux espèces le temps d'évoluer pour s'adapter, et condamne nombre d'entre elles à la disparition avant que de nouvelles aient pu prendre le relais.

Un nombre considérable de langues ont déjà disparu de la surface de la Terre et les neuf dixièmes des idiomes actuellement parlés seraient en voie d'extinction. Le latin, langue universelle, a été remplacé par le français, puis le français par l'anglo-américain, langue du commerce et, aujourd'hui, de l'Internet. Or chaque langue véhicule une représentation spécifique du monde. Chaque mot porte en lui un concept, et dans ce concept une manière particulière d'appréhender la réalité. Que le mot disparaisse, et cette représentation singulière disparaît avec lui.

Les sens s'émoussent à mesure que l'esprit devient seul interprète du monde. La standardisation des produits lamine impitoyablement la variété de saveurs et de senteurs jadis connues. La vie sociale s'exerce dans des espaces de plus en plus identiques, d'où la différence est soigneusement éliminée. A côté des ghettos dans lesquels s'entassent les déshérités, on repère des ghettos pour riches, des ghettos pour vieux et des ghettos pour malades. A la faveur de la mondialisation se dessine une nouvelle topologie : de Paris à Londres, de New York à Hong-Kong, de Rio de Janeiro à Sydney, les paysages urbains se ressemblent de plus en plus. Une même architecture, un même urbanisme établissent entre ces grands pôles de la modernité une continuité qui bannit progressivement, pour le visiteur, le sentiment de dépaysement ou d'étrangeté qui saisissait naguère les voyageurs. D'un centre commercial à l'autre, d'une rue encombrée à l'autre, les mêmes images défilent dans une impression de déjà-vu.

Les contours s'estompent, les contrastes s'atténuent tandis que s'impose à travers le monde une culture dominante, que certains qualifieront d'américaine, d'autres d'occidentale. Devant le soleil de la modernité qui lui semblait se lever à l'Ouest, Paul Valéry avait lancé sa célèbre formule sur la mort des civilisations. Il ne s'agit pas de nier la richesse et la vitalité de cette culture, mais plutôt de souligner les problèmes que pose son écrasante capacité de diffusion, par exemple dans les domaines du cinéma et de l'audiovisuel. Aujourd'hui, les succès littéraires inondent un marché devenu mondial, soumis aux lois de la consommation : partout, au même moment, les mêmes auteurs s'installent en tête des listes de best-sellers, tandis que les mêmes films et les mêmes séries télévisées deviennent le langage universel de foules bigarrées. L'uniformisation de l'offre médiatique aboutit à un conformisme réducteur et interdit à la singularité des cultures de se développer.

Saurons-nous retrouver la richesse d'une diversité authentique ? Saurons-nous la préserver ? D'autres continents, d'autres voix, d'autres regards s'offrent à nous. C'est pourquoi l'Afrique, mal aimée de la modernité, a une si grande place à tenir dans le monde contemporain, car elle entretient un rapport essentiel entre l'existence de l'homme et la Terre. L'Afrique reste la marraine de notre identité. Elle abrite certains peuples premiers, ces « peuples racines » qui sont à l'origine de l'humanité. Aujourd'hui, essoufflée par la course au progrès, notre civilisation occidentale commence à percevoir leur importance. Sent-elle qu'elle pourrait y retrouver une sagesse et une énergie indispensables pour affronter le futur ? Encore faut-il que ces peuples et leur culture soient préservés.

Un cri d'alarme pour sauver les peuples premiers fut lancé en 1995 par des Inuits venus alerter la Chambre des représentants à Washington. Ils voulaient mettre le monde en garde contre la perte progressive de leurs repères. Alcoolisme, suicide, taux de mortalité très supérieur aux moyennes nationales : tel est le lot des Inuits, des peuples indigènes du Canada et des Etats-Unis, des peuples mayas d'Amérique centrale ou des aborigènes d'Australie. Les politiques d'assimilation, l'évangélisation forcée menée depuis des siècles dans ces pays ou tout simplement l'indifférence générale ont étouffé la vie des populations, les réduisant parfois à une caricature exotique. Ce destin tragique rappelle à quel point un peuple a besoin de sa culture pour survivre : une fois coupé de ses racines spirituelles, l'homme n'a le plus souvent d'autre choix que de se laisser mourir.

La menace d'isolement pèse sur les populations autochtones. Marginalisées, parfois privées des droits humains fondamentaux, elles souffrent de voir leur culture fragilisée. Dans le rapport privilégié que ces peuples entretiennent traditionnellement avec leur environnement, ils possèdent pourtant des clés que l'Occident a perdues en route ou n'a même jamais possédées.

Après des décennies d'indifférence ou d'ignorance, on perçoit les balbutiements d'une prise de conscience nouvelle. Nous entrevoyons enfin qu'une civilisation qui se retrouve isolée atteint le point de retournement où l'expansion se transforme en déclin, et que la richesse, et par suite la solidité d'une culture, dépend de ses échanges. La capacité d'évolution d'une civilisation est fonction de la variété des influences qu'elle reçoit et qu'elle intègre, de la multiplicité des interactions qu'elle établit avec d'autres cultures.

Le monde ne vit pas d'un seul rivage. Il ne trouvera pas son souffle dans l'unique ou l'identique. Sans différences, il se condamne à la mort. La nécessité s'impose de retrouver le sens de l'aventure, le risque de l'ouverture, l'appétit de la diversité face à ce qui n'est pas immédiatement compréhensible et réductible au même. Mais pour embrasser l'altérité il faut que préexiste une forte conscience de soi. Sans quoi l'identité se sentira menacée par le regard de l'autre, jusqu'à céder au repli ou à la violence.

Si près que l'on s'en approche, l'autre reste radicalement étranger. Entre soi et l'autre, demeure cette « incompréhensibilité éternelle », qui marque la reconnaissance même de l'altérité : l'autre échappe à l'intelligence rationnelle, qui tout entière tend vers la classification, la comparaison, la création de types idéaux. Il se présente d'emblée comme une énigme de la raison. L'altérité défie l'esprit de la modernité, rétif à la magie du mystère ; mais elle récuse également la dissolution naïve et parfois inquiétante du Moi dans le groupe.

Il nous faut donc inventer un mode de pensée qui mette en valeur la diversité du monde sans l'abolir dans la recherche du plus grand dénominateur commun, gommant ce qui sépare au profit de ce qui réunit. Un mode de relation, donc, où la confrontation des différences produit quelque chose de plus et de mieux que la synthèse ou le conflit. Par exemple, la créolisation suppose l'interpénétration d'éléments d'au moins deux cultures ou de deux identités, mis sur un pied de stricte égalité, et créant non une synthèse – puisqu'il s'agit d'éléments, de traces –, non un mélange, mais un troisième élément original et imprévisible. Edouard Glissant propose une « pensée de la trace », qui renvoie au processus par lequel les Noirs amenés de force d'Afrique en Amérique, dépouillés de leurs dieux, de leur culture, et même de leur langue, ont recomposé « par traces une langue et des arts qu'on pourrait dire valables pour tous ». Dans les bateaux des négriers comme dans les plantations, les esclaves parlant la même langue étaient séparés, d'où l'émergence progressive de nouveaux idiomes, dits « pidgin », à base d'anglais, de français ou d'espagnol.

Ce processus accompagne l'humanité depuis les origines, mais il se fait à son insu : cette identité mouvante, d'alluvions en érosions, perd le sens de sa singularité pour devenir une identité parmi d'autres, prête à entrer elle-même dans un nouveau système d'échange. Nous le constatons dans l'exaltation contemporaine du « métissage », par lequel les différences se mêlent et s'abolissent. Le grand métissage de la mondialisation est le plus souvent subi, extérieur aux individus, porteur d'un profond désarroi qui nuit à la diversité avant de l'effacer inexorablement.

A ce tourbillon confus s'oppose l'expérience intérieure du partage. Chacun entend en lui les évocations d'appartenances particulières, en même temps qu'il se rattache à une culture commune. A travers le partage résonnent en nous les cultures religieuses que nous avons approchées enfants, mais dont nous nous croyons depuis longtemps et à jamais éloignés ; les provinces ou les pays parfois lointains où plongent nos origines ; les goûts, les préférences, les prédispositions qui nous ont été légués dans l'intimité de l'atavisme et le non-dit des traditions. Ainsi se mêlent le roman familial, le roman religieux et le roman ethnique, si influents dans nos choix, nos intérêts, nos fidélités. Dans l'infini du monde de la culture, ils tracent des repères, ouvrent des chemins nouveaux. A travers eux des cultures passées, enfouies, refoulées, revendiquent leur survivance en nous, contre un mouvement d'unification et d'uniformisation toujours plus poussé qui fait disparaître de la surface de la terre des langues, des religions, des arts, des cultures entières.

En faisant le choix du partage, nous réalisons véritablement l'échange, clé d'une conscience nouvelle du monde. Conscience qui exprime la fidélité aux racines et à la culture communes. Conscience qui renforce toutes les appartenances et tous les liens. La culture vécue sur le mode du partage suppose cependant de s'insérer dans une communauté élargie, une « communauté des communautés », où s'épanouira de manière stable et durable le rapport entre chacune. La culture mondialisée ne peut constituer un cadre unique. Si elle encourage parfois la reconnaissance de la diversité, elle cède trop souvent à une uniformisation qui risque d'entraîner la disparition des cultures auxquelles elle semblait promettre l'égalité.

Entre identités particulières et culture mondialisée, les cultures nationales se voient aujourd'hui investies d'un nouveau rôle, d'un nouvel espoir. Dénoncées comme dispositifs institutionnels et idéologiques destinés à refouler les appartenances particulières ou originelles – ce qu'elles furent effectivement dans certains cas, il n'est que d'évoquer le jacobinisme français –, elles apparaissent aujourd'hui comme le pilier même de la reconstruction. L'affirmation nationale est une chance pour la création artistique. En témoigne la peinture chinoise ou coréenne que le monde a découverte au moment où ces pays s'ouvraient à l'échange économique. Revers de cette réalité : la focalisation médiatique et la spéculation financière ne profitent qu'à un nombre restreint d'artistes au détriment d'une création renouvelée et vivante.

Elles sont essentielles, cette surprise initiale du regard porté sur l'autre, cette fascination, cette curiosité devant l'étrangeté et la fraternité. Il faut retrouver l'étonnement des Maudits, capables d'atteindre au vif de l'humanité, de pénétrer les visages du quotidien comme ceux de la folie lorsqu'ils plongent dans les yeux de leurs contemporains. D'un imperceptible vacillement du regard, d'un éclair de la prunelle, d'un sourcil qui se lève, d'une bouche qui se plisse exagérément, Géricault fouille l'âme de *La Folle Monomane de l'envie* ou du *Fou voleur d'enfants*. Un œil isolé, une tête qui se penche, et *Le Cyclope* d'Odilon Redon, *Le Sabbat des sorcières* de Goya ou les figures écorchées de Bacon nous introduisent dans les territoires de solitude et de violence qu'il faut apprivoiser.

Oui, devant l'autre, préservons notre étonnement qui est aussi une forme d'accueil. Sachons renouer les liens avec l'étranger ou le proche que nous rejetons aux marges, simplement parce qu'il ne nous ressemble pas. Trop souvent nos sociétés ignorent, oublient, écartent ceux qui, frappés de trop lourds stigmates, dérangent. La vieillesse, la maladie, le handicap, l'aliénation mentale : autant de motifs pour rompre la chaîne de l'altérité, comme si nous refusions de voir la part de mystère et d'obscurité que chacun de nous porte en lui. Regardons l'*Autoportrait à l'oreille coupée* de Van Gogh : ce n'est pas uniquement son visage qu'il saisit dans ce profil émacié, dans cette inquiétude de la bouche fermée, dans ces pommettes taillées à la serpe, dans ce bandeau blanc qui recouvre sa cicatrice et son geste de désespoir, mais notre propre destin, le désarroi qui nous envahit devant la vérité de notre condition d'homme. D'un homme à l'autre, d'un peuple à l'autre, c'est le grand voyage des formes, du cœur de l'Afrique à Paris, qui nous saisit devant *La Danse* de Matisse.

Par un étrange paradoxe, jamais nos sociétés n'ont été assaillies d'autant d'images, d'informations, de reportages en direct sur la réalité du monde : femmes lapidées, populations contaminées, enfants mutilés, nous les voyons chaque jour sur nos écrans de télévision. Nous sommes avec eux, auprès d'eux, mais dans un rapport dématérialisé, sans échange, sans parole. Nous éprouvons de la compassion, mais aucun partage ni véritable compréhension. Il faut pourtant, derrière les miroirs, une main tendue vers cet humanisme que nous appelons de nos vœux. Il faut du temps, de l'attention et du courage.

Une nouvelle solidarité

Au moment où elle forge sa conscience d'un destin collectif, l'humanité ressent une nouvelle exigence de solidarité qui constitue à la fois une réalité naissante et une promesse à accomplir. La fraternité est une idée neuve dans le monde, comme le bonheur, selon Saint-Just, fut en 1789 une idée neuve en Europe. En rapprochant et en brassant les nationalités, les cultures, les idéologies et les religions, la mondialisation nous impose l'évidence : par-delà nos différences, l'humain nous appartient. Dans un monde où chacun voit tout, où tous les drames sont connus, où toutes les souffrances sont ressenties, la persistance d'inégalités criantes porte atteinte à l'idée même de l'homme. Nous sommes comptables des drames que provoquent, partout sur la planète, la pauvreté, la maladie, la dégradation de l'environnement ou les crises régionales.

Pourtant, par l'un de ces paradoxes qui caractérisent le monde moderne, alors que jamais il n'a été aussi marqué par l'interdépendance, l'égoïsme n'a pas disparu. Dans l'abondance et l'opulence, les pays développés se détournent de la misère des pays du Sud, où la malnutrition, la maladie, la mortalité infantile continuent de faire des ravages. Les riches centres des grandes villes dans les pays développés ignorent le désespoir et la violence qui grondent à leur périphérie. L'homme oublie son semblable, tandis que, dans des sociétés de plus en plus atomisées, l'individualisme s'abrutit dans la contemplation de mondes virtuels où l'autre n'a plus sa place.

Avons-nous véritablement pris conscience des conséquences de notre indifférence ? Avons-nous oublié qu'elle porte en germe la haine et le conflit ? La montée intolérable de l'injustice et des inégalités menace la cohésion du monde autant que l'affirmation conflictuelle des identités religieuses ou culturelles. Sinon notre conscience, notre intérêt devrait nous convaincre de tout mettre en œuvre pour soigner et cicatriser les plaies qui saignent au flanc de la planète. La persistance de ces fléaux aggrave la fracture entre un Nord de plus en plus prospère et un Sud plongé dans un désarroi de plus en plus profond.

Des épidémies déciment des continents entiers. Le sida menace des millions d'individus. Nous n'avons pas le droit de laisser faire, quand des médicaments efficaces existent, accessibles sans difficulté en Occident et disponibles, pour certains d'entre eux, à des prix raisonnables partout dans le monde. Ensemble, il nous appartient de redoubler d'efforts, d'analyser les meilleures stratégies autour des objectifs prioritaires. Seule une action ciblée endiguera les ravages d'une maladie qui saccage, dans certaines régions de la planète, la possibilité même d'accéder à un équilibre sociologique, économique et politique.

Lorsqu'un quart de la population mondiale vit avec moins d'un dollar par jour, le défi du développement constitue une urgence impérieuse. Si l'Asie et l'Amérique latine semblent définitivement entrées dans une logique de croissance malgré des fragilités persistantes, il n'en va pas de même du continent africain. Indispensable, l'aide publique ne constitue pas à elle seule une solution à long terme si elle ne s'accompagne pas d'un véritable partenariat pour soutenir les initiatives locales, encourager les investissements, afin que se construisent les infrastructures nécessaires au progrès économique et social.

Le principe de solidarité est une condition nécessaire à l'instauration de la démocratie. La modernisation politique des pays va de pair avec leur décollage économique, comme ce fut déjà le cas pour les grandes démocraties occidentales aux XVIIIe et XIXe siècles. Mais l'aide au développement ne suffit pas à assurer la croissance dans des pays qui sont peu ou pas démocratiques. La croissance n'assure la stabilité sociale et politique que dans la mesure où elle est équitable.

Le combat pour le développement ne souffre aucune relâche. Cet impératif vaut évidemment au Moyen-Orient. Sur tous les plans – la création d'emplois, l'éducation, la technologie et la productivité –, ces nations sont à la traîne des pays occidentaux et des derniers venus à la modernité comme Taiwan, la Corée ou Singapour. Cet échec économique a popularisé dans les pays arabes, mais également en Occident, l'idée douteuse et dangereuse d'une incompatibilité entre l'islam et la modernité. Cette conviction délétère renforce les blocages et fait le jeu d'une confrontation entre les cultures. Nier aux pays arabes l'accès à la modernité, sous prétexte que celle-ci heurterait les principes fondamentaux de la religion islamique, sert les fondamentalistes et les extrémistes, prompts à dresser les peuples ou les Etats les uns contre les autres. La meilleure réponse sera de voir les pays arabes retrouver le chemin de la prospérité, du bien-être économique et social, et par conséquent de la stabilité politique et régionale.

La croissance est devenue l'un des premiers facteurs d'insertion d'un pays dans l'ordre mondial. Le meilleur exemple en est la Chine. Depuis plusieurs années, ce pays fait de son extraordinaire réussite un atout sur la scène internationale. Après une nette baisse d'intensité dans la querelle idéologique, la « grande ouverture » de la Chine se joue sur la scène économique, où elle expose une croissance soutenue, nourrie par l'explosion des exportations et des investissements. Parallèlement, ses dirigeants mettent sur pied une gestion pragmatique des relations avec les Etats-Unis et une coopération active avec les pays de la région. La Chine n'a pas renoncé aux attributs classiques de la puissance puisqu'elle poursuit la politique ambitieuse de modernisation de son armement conventionnel et nucléaire : elle a lancé un programme spatial sans précédent, dont les retombées technologiques, civiles ou militaires sont évidentes. Simultanément, elle privilégie la voie économique, soucieuse de ne pas tomber dans le piège soviétique d'une course aux armements qui détournerait les richesses vers des emplois non productifs.

Et pourtant, malgré le partage d'un même système économique, malgré la participation d'un nombre toujours plus important de pays à la grande trame des échanges et des investissements, des voix s'élèvent pour sonner l'alarme. La mondialisation suscite partout une même prise de conscience : la seule logique économique ne suffit plus à assurer la survie de l'homme et la cohésion des peuples. Cette conviction anime les mouvements altermondialistes. Produits d'une solidarité internationale inédite, ils contribuent à l'avènement d'une société civile mondiale qui entend maîtriser son destin. S'affranchissant des structures étatiques, ils dénoncent la faiblesse ou l'égoïsme des instances internationales.

Mais au-delà de cette nécessaire prise de conscience, il reste à trouver un équilibre entre un meilleur partage des richesses et la réalité des intérêts nationaux ou régionaux. On peut en effet douter que la solidarité entre pays du Nord et pays du Sud résiste : comment par exemple concilier l'exigence de certaines organisations en matière d'environnement – souvent issues de pays industrialisés – et la méfiance des pays comme la Chine ou l'Inde, qui perçoivent les politiques de préservation de l'environnement comme une forme détournée de protectionnisme venu du Nord ? Il y a bien longtemps en effet que le Sud ne constitue plus un ensemble d'intérêts homogènes, défendus en même temps que l'environnement et le droit du travail : tandis que la mondialisation sert un pays comme le Brésil, elle étouffe toujours un peu plus les habitants du Bénin. A l'avenir les oppositions Sud-Sud risquent d'être aussi rigides que celles qui dressent le Nord contre le Sud, même si les antagonismes économiques peuvent être tempérés par des solidarités et des identités communes.

Paradoxalement, ce sont souvent les limites de la mondialisation qui engendrent les pires frustrations. Parce que les barrières protègent les économies les plus riches, creusant l'écart entre le centre et la périphérie, elle ne répond pas aux espoirs qu'elle a fait naître. Le libre-échange ne nuit pas, en effet, aux pays engagés dans la voie du développement. Mais il menace les économies les plus fragiles, peu ou mal insérées dans le commerce international, notamment celles du continent africain dont la part dans les échanges mondiaux diminue d'année en année. Certes, ces pays disposent d'une main-d'œuvre bon marché. Mais la croissance économique ne peut reposer sur ce seul atout. Privés d'ingénieurs et de structures économiques et financières solides, les pays les plus pauvres sont condamnés à dépendre intégralement de l'extérieur et à rester à la périphérie de la mondialisation.

Consciente de ce risque de décrochage, la communauté internationale a le devoir de s'engager davantage pour réduire les inégalités. L'idée d'une aide publique au développement est née après la Seconde Guerre mondiale, au moment de la décolonisation. Dans un premier temps, les flux d'aide épousent les intérêts historiques et géopolitiques de chaque pays. Durant la guerre froide ils revêtent une utilité avant tout idéologique, permettant la cohésion des alliances et le maintien des zones d'influence. L'altruisme humanitaire existe, mais le développement n'est pas le seul objectif recherché. Il fallait d'abord sortir du cadre des simples relations bilatérales. L'Onu s'est donc saisie du problème dès 1961 et a lancé l'idée d'une « décennie du développement ». En septembre 2000 les dirigeants du monde entier, réunis par les Nations unies, se sont engagés à atteindre, dans des délais mesurables, un certain nombre d'objectifs, dits « objectifs du millénaire ». A Johannesburg, en septembre 2002, la communauté internationale a décidé de lier les objectifs de développement aux intérêts collectifs de l'humanité, notamment la protection de l'environnement.

Il reste à résorber les injustices les plus criantes. Le monde compte 1 milliard d'habitants aisés, 2,5 milliards d'habitants pauvres, et 2,5 milliards de très pauvres. Au cours des cinquante prochaines années, 90 % des nouveaux habitants de la planète naîtront dans les pays pauvres. L'aide au développement a donc un double impératif : la réduction de la pauvreté et l'insertion des pays en développement dans l'économie mondiale. La communauté internationale gagnera en efficacité si elle parvient à travailler de concert avec les organisations régionales et les pays concernés. La lutte contre la pauvreté n'avancera que si elle prend en considération tous les aspects du développement, des infrastructures à l'énergie, du tissu des petites et moyennes entreprises à l'éducation. Le combat pour la défense de l'environnement quant à lui réclame une meilleure coordination des efforts au sein des institutions internationales. Le respect du développement durable, la protection des « biens publics mondiaux » sont une priorité. De telles entreprises nécessitent des outils innovants et efficaces : une organisation mondiale pour l'environnement, chargée de la veille écologique, pourrait, sur la base d'études scientifiques indépendantes, alerter la communauté internationale sur les problèmes les plus urgents. Il faut aussi mettre en place au niveau international des règles véritablement contraignantes contre la pollution. On ne peut plus aujourd'hui s'en tenir aux incantations.

Le destin du monde ne se contente plus du « laisser faire, laisser passer » que prônaient les Libéraux au XVIIIe siècle, dans un contexte historique différent de celui que nous connaissons aujourd'hui. D'abord parce que les productions humaines ne sont pas toutes réductibles à l'état de marchandises. Ensuite parce qu'elles ne relèvent pas toutes des mêmes enjeux. Comment concilier la logique économique des laboratoires pharmaceutiques qui produisent les médicaments et la logique humaine des maladies orphelines ou de ceux qui n'ont qu'un ou deux dollars par jour pour subsister, et qui ont pourtant besoin de traitements médicaux coûteux ?

On ne saurait abandonner la mondialisation à sa propre logique. Pour l'infléchir et lui dicter un sens, une seule solution : travailler ensemble. Il faut impérativement construire un espace à l'abri des pures logiques marchandes, où la réflexion et l'humanisme puissent s'exprimer. Voilà pourquoi de plus en plus de pays plaident pour la création d'un Conseil de sécurité économique et social capable de prendre en compte l'intérêt général. Dans les secteurs les plus importants et les plus complexes comme l'alimentation, la santé, la culture ou l'environnement, les institutions spécifiques ont leur rôle à jouer. L'éparpillement des organisations en une multitude de conventions et de petites structures dépourvues de moyens compromet beaucoup l'efficacité de l'action de l'Onu. Tout en renforçant l'architecture globale, chacune de ces institutions aurait vocation à édicter des normes et à les faire respecter. La communauté internationale coordonnerait les logiques économiques et commerciales d'une part, environnementales, sanitaires et sociales d'autre part, afin de définir des stratégies viables à long terme. Il semble contradictoire, par exemple, qu'au même moment l'on décide d'accroître l'effort en faveur de l'aide alimentaire d'urgence et de réduire le soutien accordé au développement agricole.

Pour assurer la légitimité d'une telle instance, il faut trouver la meilleure façon de représenter les Etats sans créer une entrave au déroulement de futures négociations. Cette instance pourrait reposer sur l'échelon régional, à l'image de l'Union européenne qui définit sa stratégie commune avant de s'asseoir à la table de l'OMC. Les différents pans de la société civile se verront associés, notamment à travers les ONG. Une gouvernance mondiale efficace s'appuiera sur le caractère collectif de la délibération et de l'action, transposition des principes démocratiques dans un ordre international qui aspire à devenir une véritable société. L'attente existe déjà, la conscience d'un destin partagé aussi. Reste à établir les moyens de la réaliser.

L'esprit de progrès

Au contraire des fausses sagesses qui prônent le renoncement et la résignation, nous voyons l'urgence de redonner un sens au monde. En respectant véritablement l'autre, en reconnaissant aux cultures leur rôle essentiel, en forgeant une solidarité nouvelle dans le temps et dans l'espace, nous réaliserons ce geste simple et pourtant si difficile : remettre l'homme au centre de toute action, de tout projet, en reconnaissant cependant qu'il ne peut prétendre à la maîtrise du monde. Son horizon est celui de la finitude. Notre expérience de l'immensité, nous la tenons du mouvement infini de l'horizon qui recule et se reforme au fur et à mesure que nous marchons vers lui. A la transcendance se substitueraient une immanence, un enracinement dans l'humain. L'origine locale n'interdit pas l'élévation à l'universel. Nés dans un temps et un lieu bien particuliers, l'algèbre, la calligraphie chinoise et le Taj Mahal n'en parlent pas moins à l'humanité entière. C'est à partir de lui-même que l'homme peut espérer refonder l'universel.

Un nouvel esprit de progrès s'impose. Pas celui, aveugle et dominateur, qui a conduit aux impasses que l'on sait, mais une confiance lucide en l'homme et en sa capacité à s'arracher au scepticisme et au fatalisme. La naissance de ce nouvel humanisme implique de repenser les conditions mêmes de l'éducation et de la formation. Il s'agit là d'un enjeu essentiel dans nos pays, qui ont à régler les questions surgies de la démocratisation et de la massification de l'enseignement, ou dans les pays en développement confrontés au problème de l'illettrisme. Problème aujourd'hui au cœur de la crise que traverse le monde arabe. Le Moyen-Orient est l'une des régions où l'investissement dans l'éducation et la formation est le plus bas. La faiblesse du niveau d'éducation y constitue l'une des causes de l'absence des femmes sur le marché du travail. Et dans un pays comme le Pakistan, chacun sait que les carences de l'Etat ont provoqué l'ouverture d'un nombre croissant d'écoles fondamentalistes, qui exercent sur les consciences des plus jeunes une influence contraire à toute idée d'ouverture ou de dialogue. Lorsqu'on s'engage pour l'éducation, on met en mouvement un ensemble de leviers qui peuvent accompagner la modernisation économique. Si la recherche et l'innovation favorisent à terme la prospérité d'une économie, l'éducation favorise les libertés fondamentales, l'exercice d'un esprit critique, et le respect de l'autre.

La confiance retrouvée dans le progrès déclenchera de nouveau un dialogue fécond et indispensable avec la science. Indispensable parce qu'elle se trouve plus que jamais au cœur de notre vie et de nos sociétés ; indispensable parce qu'elle est confrontée à des questions qui touchent à d'autres domaines, de l'agriculture à l'éthique ; indispensable enfin parce que l'interruption de ce dialogue n'aboutit qu'à nourrir l'ignorance et la peur.

La science a tiré certaines leçons du passé : elle sait qu'elle ne peut seule assurer le bon usage des découvertes qu'elle effectue. Désormais elle se pare de critères nouveaux comme autant de garde-fous : ainsi, les produits qu'elle crée grâce à la maîtrise des gènes sont soumis à une évaluation systématique. Le « principe de précaution » est largement adopté dans le monde de la science : ne lui imposons pas de surcroît une suspicion étouffante et permanente. Encourageons-la à assumer sa responsabilité personnelle vis-à-vis de l'être humain et de la société.

De plain-pied dans le temps de l'exigence, renonçons aux facilités d'une tolérance faite de compromis et d'indifférence et retrouvons le chemin de notre identité. Ayons le courage de renouer avec notre culture, pour être soi-même et avec l'autre, pour apprivoiser la violence en soi et autour de soi, enfant des vallées et des volcans, des ports et des tempêtes. Ayons la force de tendre la main et de garder l'esprit ouvert, dans le souci du don, tel celui qui s'offre en partage sans rien attendre en retour. Ayons la lucidité nécessaire pour forcer de nouveaux passages, ouvrir de nouvelles brèches, bouleverser le champ du possible. Voilà ce que le monde contemporain attend de nous. Désespèrent souvent les voyants et les prophètes dans la lignée des Rimbaud, des Hölderlin, des Mandelstam, des Borges, Kerouac, Hikmet ou Darwich. Mais là où, l'un après l'autre, ils s'effondrent, « viendront d'autres horribles travailleurs ».

CHAPITRE 5

LE DEVOIR

Précipité de toutes les tensions, de tous les enjeux et de tous les paradoxes, la crise iraquienne est le reflet fidèle des nœuds du monde. Mais marque-t-elle la fin d'une époque ou l'avènement d'une nouvelle ère ? Faut-il dater de la bataille de Bagdad la véritable entrée dans le XXIe siècle, comme l'assassinat de l'archiduc François-Ferdinand à Sarajevo en 1914 avait ouvert le XXe siècle ? S'agit-il au contraire d'un pic dans une période de tension plus longue, comme la crise des missiles de Cuba en 1962 avait représenté l'un des points culminants de l'affrontement indirect entre l'Union soviétique et les Etats-Unis ? S'agit-il enfin du dernier soubresaut d'une ère qui se termine ?

Certaines crises sont le produit d'une évolution aux ramifications souterraines. Celles qui ont secoué les Balkans pendant la dernière décennie ont ainsi concrétisé l'exacerbation des passions nationalistes, religieuses et identitaires que la coercition communiste avait contribué à étouffer, au lieu de les résoudre. La crise iraquienne révèle d'abord une stratégie : l'emploi de la force préventive. Mais elle témoigne aussi d'un dessein politique : établir la démocratie dans d'autres pays, si besoin par la force.

Si la victoire militaire a été rapidement acquise, la reconstruction du pays, le transfert de souveraineté, la maîtrise de la sécurité continuent de soulever des difficultés majeures. Le désordre et la violence se sont installés. Il faudra du temps pour panser les plaies ouvertes en Iraq. Il faudra surtout l'énergie et la volonté de la communauté internationale pour apaiser les haines.

Dans ce contexte, il devient urgent d'offrir une perspective nouvelle au Moyen-Orient. Le mépris, la violence et l'incompréhension risquent de cristalliser des oppositions durables, susceptibles de dégénérer en choc des cultures et des religions. La France et l'Europe ont un devoir particulier dans une tragédie où nos valeurs se trouvent bafouées : le dialogue, le partage, l'esprit de justice. Notre ambition est de favoriser une prise de conscience. Contre l'engrenage de l'indifférence et du ressentiment, nous voulons enclencher le cycle vertueux de la paix et du développement ; et d'abord tirer toutes les leçons du douloureux épisode iraquien, revenir là même où les chemins ont bifurqué, où l'horizon s'est subitement brouillé.

Devait-on, pour forcer le destin, s'engager sur le chemin de Bagdad les armes à la main ou, au contraire, s'atteler à sauver Jérusalem avec les seules armes de la paix ? Devant l'enchaînement de la violence, une autre réflexion s'impose. Pour les Etats-Unis comme pour l'Europe, une porte d'entrée différente est nécessaire dans cette région meurtrie. Un autre visage est attendu, témoignage de sagesse, d'ouverture, de générosité. Et s'il fallait bousculer les esprits, créer la surprise propice au sursaut, ce serait, prenant le risque de la paix, d'un nouveau cheval de Troie qu'il faudrait rêver pour rassembler toutes les énergies, refuser la fatalité, donner vie à l'impossible.

Nous ne manquons pas de grands exemples ni d'inspiration. Sur tous les continents, l'audace n'est-elle pas la même ? Ainsi à Genève en 1926, pour ne parler que de l'Europe : la moustache épaisse, les paupières lourdes, le regard déjà fatigué, Aristide Briand s'empare de la tribune de la Société des nations où il prononce le discours le plus important de sa carrière. Il a tout vu, tant vécu. Venu du socialisme et ancien intime de Jaurès, il a été la cheville ouvrière d'une séparation des Eglises et de l'Etat qu'il a su rendre pacifique, conforme à l'esprit de tolérance qui anime les véritables républicains. Après avoir soldé la guerre des deux France, il assume la direction du gouvernement en guerre entre 1915 et 1917, affronte la terrible épreuve de Verdun.

Alors qu'une grande partie de la classe politique française entend faire payer l'Allemagne et exige une stricte application du traité de Versailles, Briand, lui, a compris qu'il faut tendre la main au vaincu, réconcilier pour gagner la paix pendant qu'il en est encore temps. Sa volonté rencontre celle de son homologue Stresemann avec lequel il constitue le premier couple franco-allemand de l'histoire. En 1925, par le pacte de Locarno, la république de Weimar reconnaît ses frontières occidentales, premier pas considérable et qui ouvre une ère d'espoir. Un an plus tard, le « pèlerin de la paix » accueille en personne l'ancien « ennemi héréditaire » au sein de la SDN. Les mots résonnent : « Entre l'Allemagne et la France, c'en est fini des rencontres douloureuses et sanglantes dont toutes les pages de l'Histoire sont tachées, c'en est fini des longs voiles de deuil sur des souffrances qui ne s'apaiseront jamais. Plus de guerres, plus de solutions brutales et sanglantes à nos différends ! Certes, ils n'ont pas disparu, mais désormais c'est le juge qui dira le droit. » Et de conclure par l'exorde fameux : « Arrière les fusils, les mitrailleuses, les canons ! Place à la conciliation, à l'arbitrage et à la paix ! »

Si Briand tient tant à la réconciliation franco-allemande, c'est parce qu'il sait qu'elle forme le préalable à une unification du continent qu'il appelle de ses vœux. Face à la montée en puissance des Etats-Unis et de la Russie, l'Europe n'a plus d'autre choix, estime-t-il dès la fin de la Grande Guerre. Son dernier discours important, en septembre 1929, appelle avec la prudence nécessaire à l'établissement d'« une sorte de lien fédéral » pour le vieux continent. La même année, le jeudi noir engage le monde dans une nouvelle décennie de tensions d'où sortira la Seconde Guerre mondiale. Mort un an avant l'arrivée de Hitler au pouvoir, Briand n'a pas vu son œuvre sombrer. Comme souvent en politique, le temps de l'action n'est pas celui de la postérité. S'il a perdu son pari immédiat, il sème pour l'avenir.

Le droit et la force

Certaines batailles révolutionnent l'histoire militaire, voire l'histoire tout court. A Crécy, Poitiers ou Azincourt, de 1346 à 1415, les archers anglais démontrent, en infligeant de très lourdes pertes aux chevaliers du roi de France, la place que l'artillerie va prendre sur le champ d'honneur. Les guerres révolutionnaires puis impériales, de Valmy à Eylau, s'appuient sur une nouvelle doctrine, qui inclut l'emploi de moyens humains sans cesse plus importants, nourris par la conscription et les levées en masse ; cette stratégie atteint son paroxysme avec les batailles meurtrières de la Grande Guerre. La Seconde Guerre mondiale inaugure les bombardements massifs d'objectifs civils, de Londres à Dresde, culminant avec l'emploi de l'arme nucléaire à

Hiroshima et Nagasaki. La guerre du Golfe de 1991, elle, marque le début de la guerre technologique, avec des pertes humaines très limitées et l'emploi d'armes de haute précision, guidées vers des cibles précisément définies par des dispositifs électroniques perfectionnés.

Au fil des siècles, l'ancienne Mésopotamie a été le théâtre d'innombrables batailles, un véritable laboratoire de l'art de la guerre. Que de fois cette terre a été ravagée ! En 1258, les Mongols rasèrent Bagdad et massacrèrent sa population. Durant la Première Guerre mondiale, les troupes britanniques livrèrent là de violents combats jusqu'à la prise de Bagdad, le 11 mars 1917. Dans les années 1920, malgré le mandat britannique puis l'accession à l'indépendance sous le roi Fayçal Ier, les hostilités se poursuivirent. C'est en Iraq que furent testées par la Royal Air Force britannique les premières bombes larguées depuis des aéronefs, prélude aux tapis de bombes de la Seconde Guerre mondiale. Durant la première guerre du Golfe furent expérimentées des bombes antibunkers, capables de perforer une épaisseur importante de béton avant d'exploser.

En 2003, comme en 1991 ou en 1924, la crise iraquienne offre l'occasion d'expérimenter, selon l'état-major américain, une doctrine militaire, fondée sur l'utilisation combinée d'armes de haute technologie, d'opérations spéciales et de systèmes électroniques complexes. Ces éléments donnent aux armées américaines une suprématie incontestable sur le champ de bataille. Ils expliquent la brièveté des combats, du 19 mars au 9 avril, et les pertes limitées enregistrées dans les rangs de la coalition : 200 morts environ. Comme le souligne le président Bush dans son discours du 1er mai, prononcé sur le porte-avions *Abraham Lincoln*, cette tactique vise, par la suprématie technologique, à pousser les frappes au maximum d'efficacité en minimisant les « dommages collatéraux » sur les populations civiles.

Pour autant, on ne saurait voir dans la tactique employée par le général Franks, sur l'impulsion du secrétaire à la Défense Donald Rumsfeld, une véritable rupture dans la conduite des opérations militaires. Les éléments de continuité par rapport à la première guerre du Golfe sont tout aussi importants. Ainsi le déploiement d'un nombre massif de soldats correspond-il à la doctrine de Colin Powell en 1991 : pour limiter les pertes humaines, il est nécessaire d'engager sur le terrain le plus possible d'effectifs disponibles, sans néanmoins affecter la capacité des armées américaines à conduire simultanément deux opérations de grande envergure. De même la tactique adoptée ne fait-elle que renforcer le principe des bombardements massifs, supposés créer un effet de panique et de découragement chez l'ennemi. Enfin le recours à des armes de précision, l'utilisation d'instruments à guidage laser, le rôle des moyens d'observation spatiaux figuraient déjà dans la panoplie militaire de 1991.

La rupture se situe donc ailleurs, dans l'asymétrie de l'affrontement. Autrefois, l'équilibre des forces en présence était la clé de la stratégie. La guerre froide, avec sa course aux armements nucléaires, avait été la caricature de cette obsession. Désormais les conflits opposent le fort et le faible, l'ultramoderne et l'archaïque. L'équipement sophistiqué de l'armée israélienne rencontre les pierres de l'*Intifada*. Le 11 septembre, une poignée de terroristes munis de simples cutters parviennent à transformer des avions de ligne en bombes volantes pour frapper au cœur de l'Amérique. En Iraq, celle-ci écrase, de toute sa puissance de feu, un pays affaibli par les privations consécutives à plusieurs années de sanctions, dont l'armée n'est plus qu'un spectre. C'est l'autre figure de l'asymétrie : après David contre Goliath, voici Goliath contre David.

Mais, une fois la victoire acquise, la guerre de haute technologie rencontre ses limites. L'asymétrie s'inverse à nouveau. Plus question, désormais, de « choc » et d'« effroi », mais de la dure condition des troupes d'occupation, dans un pays plus ou moins pacifié, plus ou moins hostile. Une résistance éparpillée mais déterminée harcèle continûment les forces américaines, qui perdront plus d'hommes dans les quelques mois suivant la conquête de l'Iraq que pendant l'opération militaire proprement dite. La capture de Saddam Hussein n'entame en rien la résistance. Le doute s'insinue chez les commentateurs, chez les citoyens, en Amérique et ailleurs, chez certains marines peut-être : à quoi bon tout ce déploiement de puissance ? La force suffira-t-elle à résoudre le problème iraquien ? Quels ébranlements dans les tréfonds fragiles de cette région si complexe ? Le calme apparent et relatif semble trompeur, lourd de menaces, comme la solidité de ces édifices qu'un tremblement de terre a lézardés jusqu'en leurs fondations.

Le refus de l'ordre juridique édifié par la Charte des Nations unies a constitué la deuxième rupture majeure. L'interdiction du recours à la force n'était pas une clause de style. Elle a subi des échecs, rencontré des résistances. Mais parce qu'elle était fondée sur une philosophie politique, parce qu'elle répondait à l'aspiration des peuples, elle a contribué à généraliser l'idée que les différends entre les Etats devaient se régler de manière pacifique. Elle a favorisé le développement d'instances de coopération multilatérales, dans les domaines les plus divers : commerce, santé, droits de l'homme. Elle a enfin conduit à ancrer le principe de légalité des interventions militaires : autrement dit, aucun gouvernement responsable ne peut engager d'action militaire d'envergure sans l'accord de la communauté des nations. Ces principes se sont enracinés durant les années de la guerre froide et de l'équilibre de la terreur. La disparition de la superpuissance soviétique n'a en rien atténué leur importance : le monde n'est pas devenu moins dangereux, seulement moins prévisible. C'est pourquoi l'interdiction du recours à la force doit demeurer le pivot de l'ordre international contemporain.

La prise de conscience des dangers auxquels le nouvel état de la planète nous expose aurait dû conduire les Etats-Unis à renforcer leurs liens avec les pays solidement implantés dans le camp démocratique, qui partagent avec eux tant de valeurs communes, à promouvoir les institutions, plus que jamais nécessaires au nouvel ordre international. Ils ont choisi d'emprunter un chemin différent.

La liberté et l'identité

Napoléon, l'un des premiers, avait compris l'importance de l'information en temps de guerre. Alors qu'il était encore jeune général de l'armée d'Italie, ses bulletins magnifiaient ses victoires, à l'intention de ses soldats, mais aussi, à travers l'écho naissant de la presse, de l'Europe. Dans le nouvel âge démocratique, le soutien de l'opinion se révèle essentiel au succès militaire, car toutes les forces d'une nation sont engagées dans la guerre moderne, de l'avant à l'arrière, l'un soutenant l'autre. La guerre psychologique bénéficie de l'appui décisif des nouveaux médias de masse, radio puis télévision.

En 2003, la guerre s'est déroulée sous la lentille grossissante des caméras de télévision. La seconde guerre du Golfe se situe effectivement dans la continuité exacte de la précédente. Lors de ce premier conflit, les images des missiles illuminant le ciel de Bagdad avaient constitué, pour l'opinion internationale médusée, la révélation d'une nouvelle catégorie d'événements, vus en temps réel sur l'ensemble de la planète, et d'une nouvelle catégorie de médias, les télévisions d'information internationale en continu. « Tempête du désert » avait donné le coup d'envoi à l'essor de CNN International. Cet instrument s'était révélé, pour l'Amérique, un facteur clé de succès : non pas sur le terrain, mais dans l'opinion, cet autre théâtre sur lequel se joue aussi la guerre moderne.

La seconde guerre du Golfe a marqué la mise en œuvre de méthodes inédites de prise en charge des médias par le commandement américain. Près de six cents journalistes ont été « embarqués » dans les unités combattantes, munis de casques et d'uniformes, afin de rendre compte des opérations de l'intérieur. Pourtant, en dépit – ou à cause – de la sophistication des techniques de communication, cette guerre-là a laissé à la plupart des téléspectateurs l'impression que la partialité n'était pas absente des moyens d'information. Tandis que les médias américains accusaient la chaîne qatariote Al-Jazira de faire le jeu de Saddam Hussein en montrant des prisonniers de guerre américains, les médias arabes accusaient les chaînes américaines CNN et Fox News de manipulation. Les médias occidentaux, eux, affirmaient devoir, pour respecter les conventions de Genève, occulter les visages des prisonniers de guerre américains, mais montraient à visage découvert les prisonniers iraquiens. Pendant que le ministre iraquien de l'Information tenait de délirantes conférences de presse, les télévisions occidentales attribuaient à des sosies les apparitions d'un Saddam Hussein dont elles annonçaient qu'il était « peut-être » déjà mort. L'information des uns était la propagande des autres.

Le sentiment de malaise fut avivé par les accents volontiers messianiques qu'employait l'administration américaine pour justifier les ambitions de sa politique étrangère et le rôle de l'Amérique dans le monde. Cette ambition s'inscrit dans une tradition remontant aux sources de l'aventure américaine, dans la conviction qu'avaient les pèlerins du *Mayflower* de constituer une société d'élus abordant aux rives d'une terre promise afin d'écrire, sur les pages vierges des grands espaces, un nouveau chapitre de l'histoire humaine. Le flambeau que la France a brandi en 1789 au nom de la liberté, des droits de l'homme, du droit des peuples à disposer d'eux-mêmes, voire simplement – lorsqu'il s'est agi de justifier les aventures coloniales – de la civilisation, est donc passé, au XXe siècle, aux Etats-Unis avec l'ambition revendiquée d'étendre la démocratie au reste du monde.

Cet esprit messianique était paradoxalement jusqu'à aujourd'hui plutôt l'apanage des « libéraux », selon lesquels les Etats-Unis doivent utiliser leur puissance afin de faire progresser la liberté, la démocratie et le libre-échange. Il leur revient donc de soutenir les régimes démocratiques et de combattre les dictatures, d'aider financièrement les régions les plus pauvres de manière à leur donner davantage de stabilité. Mais derrière l'apparente continuité des buts affichés, il y a bien eu rupture car l'administration Bush a combiné ces objectifs d'une manière qui lui est propre.

Rupture d'abord en raison des moyens employés pour exporter la démocratie. On n'est plus en présence d'un processus graduel permettant à des structures représentatives de se mettre progressivement en place, en réponse aux attentes de la population. Pas davantage d'un processus de conviction, articulé autour des moyens de pression habituels, médias, relais culturels ou élites intellectuelles. Mais d'un choix imposé par la force des armes. Toutes les ressources de la puissance, le militaire, l'économique et la technique, ont été mises en œuvre pour obtenir la chute du régime iraquien et jeter les bases de nouvelles institutions. Les Etats-Unis ont mis fin au règne d'un despote dont les exactions suscitaient la colère et le rejet. Toutefois, suffit-il de renverser un dictateur pour établir la paix et la démocratie ? La démocratie apportée par la force réussira-t-elle à s'implanter en Iraq ? Chacun le souhaite et veut y contribuer. Mais faut-il le rappeler ? L'Iraq de 2003 n'est pas l'Allemagne de 1945. Le substrat idéologique et culturel, l'identité du pays, l'état de la société, l'expérience de la démocratie n'ont rien de commun ; le rapport du peuple au régime politique déchu n'est pas comparable ; l'environnement international non plus. Ces différences majeures interdisent de se livrer à des rapprochements hâtifs. La situation apparaît d'autant plus paradoxale aujourd'hui que, aux débuts du mandat du président Bush, son administration et ses conseillers n'avaient pas de mots assez durs pour désigner la « reconstruction d'Etats » chère à l'administration Clinton. Or voici l'administration Bush contrainte de s'y adonner à son tour.

Rupture, également, parce que cette ambition prométhéenne est sous-tendue par une conception nouvelle, ouvertement inégalitaire, des rapports entre les Etats. L'Amérique reconnaît qu'elle ne pourra mener à bien sa mission sans l'aide d'autres nations : en Iraq déjà, elle a fait appel à des contingents étrangers pour assurer la sécurité du territoire. Elle semble néanmoins tentée de se poser comme le centre d'un nouveau gouvernement mondial, dont elle déléguerait certaines tâches subalternes tout en assurant seule sa direction dès que les questions qu'elle juge importantes seraient en jeu. Il n'y aurait plus une communauté d'Etats égaux devant la règle de droit international, mais un centre autour duquel devrait s'organiser la périphérie.

Cette nouvelle structuration internationale est présentée de manière volontiers manichéenne par l'administration américaine et ses inspirateurs. Les images de l'effondrement des tours jumelles au cœur de Manhattan furent d'une violence inouïe et suscitèrent à travers le monde un mouvement de solidarité avec le peuple américain. Le traumatisme fut profond. La lutte contre le terrorisme prit l'aspect d'un combat entre le Bien et le Mal. L'horreur sans précédent comportait un aspect proprement diabolique invitant à l'exorcisme. L'identification des Etats-Unis avec le Bien était d'autant plus facile que l'Amérique se pense volontiers singulière. Création volontaire, originale, sans référence historique, ce pays symbolise un lieu de recommencement. En lieu et place de l'inconscient, c'est un perpétuel en-avant. La nation nourrit d'elle-même une vision idéologique, intemporelle, qui se double fréquemment de la croyance en une certaine virginité morale propre à exercer un effet d'exemplarité à travers le monde. Que ce soit dans l'isolationnisme caractéristique de l'époque du président Carter ou dans l'interventionnisme actuel, la politique étrangère des Etats-Unis se caractérise volontiers par un messianisme fondé sur la certitude que le pays est porteur d'un destin manifeste et que cette singularité lui confère des droits à l'égard des autres peuples. Seule l'Amérique compte, jusqu'à épouser les contours de la planète entière, dans une étonnante occultation du monde.

Au cœur du projet américain en Iraq se trouve la conjonction d'une conviction morale et de la défense d'intérêts objectifs. L'incursion de l'éthique dans la sphère internationale, naguère terrain d'élection de la *realpolitik*, ne laisse pas de surprendre. Mais nous devons admettre qu'elle répond à un état nouveau de la conscience mondiale. De plus en plus, les droits de l'homme, la démocratie, la répression des crimes de guerre sont au cœur de l'ordre international ; ces mots appartiennent désormais au vocabulaire diplomatique ; après le « devoir d'ingérence humanitaire », la promotion des valeurs démocratiques constitue un objectif de plus en plus largement partagé. Sans doute l'éthique n'est-elle pas, en règle générale, le principal motif de l'action internationale ; mais elle constitue un facteur important à prendre en compte et un élément essentiel pour construire une légitimité.

Cela dit, la morale ne peut se substituer au droit. Seul le droit constitue une source objective de légitimité. Dans la crise iraquienne, il est apparu relativement secondaire et accessoire, comparé à la défense des valeurs de liberté et de démocratie dont l'Amérique estimait être porteuse. Cette situation plaçait face à un dilemme les Etats européens qui partagent les valeurs défendues par l'Amérique. Comment faire un choix stratégique différent, comment refuser la guerre, sans paraître en même temps renier ces valeurs ? Pouvait-on à la fois défendre les principes de liberté et de démocratie d'un côté, le respect du droit international de l'autre ? Il n'y a pas en matière de relations internationales de chemin tout tracé. Il faut savoir prendre ses responsabilités, fixer le cap en fonction de ses idéaux et de ses exigences. Nous avons estimé qu'il était de l'intérêt de la communauté internationale de continuer à défendre nos valeurs dans le respect des règles de droit.

Bien sûr, la défense de la démocratie dans les pays où elle est encore bafouée reste un impératif. Bien sûr, nous appuierons l'idée de sortir enfin le Moyen-Orient du cycle infernal de la violence. Mais nous émettons des réserves sur les méthodes et la stratégie employées pour parvenir à ces objectifs. Comment penser que l'emploi unilatéral de la force apportera la confiance et la stabilité nécessaires à l'instauration d'un régime démocratique ? Comment croire un instant que la voie des armes ne réveillera pas les démons de la vengeance et des représailles ? Comment imaginer que l'étalage de la suprématie technologique et militaire n'avivera pas les rancœurs, les frustrations, le sentiment d'injustice dont se nourrissent aujourd'hui les extrémismes ?

Faire violence à un peuple, c'est le condamner à une humiliation aux conséquences imprévisibles et irréversibles. L'histoire de notre continent le démontre assez. Les conquêtes napoléoniennes conduisirent inévitablement à un sursaut de la vieille Europe contre la France, et le *diktat* de Francfort était porteur d'une guerre de revanche que le système des alliances a rendue mondiale. Les armes, dans un monde civilisé, ne peuvent servir qu'à se défendre. La force, employée autrement qu'en dernier recours et conformément au droit, est illégitime.

Pour rendre le monde plus sûr, il faut définir une stratégie politique globale qui ambitionne de cicatriser les plaies dont le terrorisme voudrait faire autant de foyers d'infection ; une stratégie qui prenne en compte enjeux identitaires, religieux, ethniques et culturels, soif de justice, besoin de solidarité ; une stratégie fondée sur le dialogue, la participation de tous aux décisions engageant chacun, bref, sur la responsabilité collective. Si la tâche est difficile, il faut d'abord souligner que l'évolution politique viendra de l'intérieur des sociétés. Les changements attendus sont trop importants pour pouvoir être imposés de l'extérieur sans susciter le rejet. Ensuite, il convient de tenir compte du sentiment national des pays concernés : si nous souhaitons conduire une politique globale au Moyen-Orient et dans le monde islamique, nous devons d'abord prendre en considération la spécificité de chaque Etat. Imaginerait-on aborder de la même façon les sociétés algérienne, égyptienne, afghane ou iranienne ? Enfin, nous devons prendre en considération les instruments existants et les utiliser. Les efforts accomplis par l'Union européenne dans le cadre du dialogue euro-méditerranéen méritent à cet égard d'être pris en compte car ils constituent un socle solide sur lequel bâtir.

Alors que les questions de sécurité et de développement restent toujours aussi brûlantes, il est urgent que nous parvenions à trouver ensemble un moyen d'y répondre. Il n'existe pas de solution immédiate. Il n'existe pas de raccourci vers la paix et la stabilité. L'histoire nous enseigne que les règlements les plus efficaces et les plus équitables d'un conflit ont tous demandé du temps, de la concertation, du dialogue.

Mirages et réalités

Pour l'administration américaine, la voie de la paix au Proche-Orient passe par Bagdad. L'intervention militaire doit témoigner de la détermination de Washington à surmonter les difficultés de la région. Elle est censée apporter aux sceptiques la preuve de la puissance des Etats-Unis, en même temps qu'elle vise à rassurer le pays sur sa propre force. D'une certaine façon, elle clôt le chapitre du doute pour passer à celui des certitudes : l'Amérique est en mesure d'apporter la démocratie à un pays en proie à la dictature, et la paix à une région en désordre.

Il s'agissait là d'un pari d'autant plus imprévu que les yeux restaient tournés vers Jérusalem. Bien davantage que l'Iraq, le conflit israélo-palestinien constituait une menace pour la stabilité et la sécurité de la région et du monde. N'y avait-il pas une véritable urgence à intervenir ? La nécessité de l'action n'aurait-elle pas, dans ce cas, été reconnue par tous ? La France a toujours soutenu que sans un règlement juste, durable et pacifique au Proche-Orient, il serait vain de vouloir stabiliser la région. Les Etats-Unis ont longtemps adhéré à cette analyse. Au lendemain de la première guerre du Golfe, qui avait abouti à neutraliser l'Iraq par l'embargo, renouer le dialogue israélo-palestinien était la priorité commune. Subitement, tout s'inverse : après l'Afghanistan, c'est l'Iraq qui est érigé en cible.

La France et d'autres pays membres de l'Union européenne, en particulier le Royaume-Uni, possèdent une connaissance approfondie de cette partie du monde. L'histoire leur a donné une grande proximité avec les peuples qui l'habitent. La géographie fait du Proche-Orient le voisin de l'Europe. Nous avons des intérêts majeurs dans cette région, des propositions à formuler, des recommandations à défendre, des orientations à suggérer. Ensemble, nous serons en mesure de promouvoir avec davantage d'efficacité la même idée de la paix et de l'installer dans les faits, grande tâche historique à laquelle personne ne saurait rester indifférent.

Au lendemain de la crise iraquienne, nous n'avons d'autre choix, Etats-Unis et France, Etats-Unis et Europe, que de renouer les fils du processus de paix. Une première condition est de comprendre la région et d'en mesurer la fragilité. Des Etats, des peuples, des tribus, des ethnies ont tracé dans un espace immense des frontières visibles ou invisibles. Les guerres ont déchiré les consciences, séparé des populations, divisé des nations. Les efforts de paix ont rapproché les uns, éloigné les autres. Le Moyen-Orient n'est pas un tout homogène. L'impératif premier est de garder sa diversité à l'esprit, de repérer les lignes de fracture qui le traversent, de respecter les identités qui se sont construites au fil des siècles. La conviction n'autorise pas à ignorer la réalité de l'histoire. Il faut composer avec elle, au service des intérêts de cette région.

Un deuxième préalable est de garantir la sécurité des Etats. La désespérante spirale de violence permanente dans cette partie du globe s'explique par des rivalités anciennes, des conflits de territoire ou de légitimité qui n'ont jamais trouvé de solution. Elle se nourrit aussi de l'absence d'un système de sécurité global. Aujourd'hui, un paradoxe veut que l'une des régions de crise la plus chargée de périls ne dispose d'aucun mécanisme de sécurité concerté. Il est temps de mettre fin à cette singularité et de dresser les plans d'une architecture cohérente et efficace, en commençant par lutter avec détermination contre la menace du terrorisme et par éradiquer la prolifération d'armes de destruction massive.

Une troisième exigence s'impose : mettre un terme au conflit israélo-palestinien. Si nous n'ouvrons pas les portes de la paix sur ces territoires, nos ambitions pour le Moyen-Orient demeureront vaines. Se résigner à la violence, accepter que se poursuive indéfiniment la progression meurtrière des attentats et des représailles, c'est faire peser sur l'ensemble de la région une menace permanente d'instabilité. Plus grave, les événements qui se déroulent en Israël et dans les territoires palestiniens trouvent un écho dans l'ensemble du monde arabe. Utilisés par les factions extrémistes pour entretenir un climat d'insécurité et de haine, ils nourrissent l'idée absurde, inacceptable, selon laquelle certains peuples seraient condamnés à vivre dans l'affrontement et la lutte.

Le malheur n'est pas une fatalité. Mais ne forçons pas l'histoire des peuples. Trop souvent les pays occidentaux ont agi au mépris de la réalité des hommes et des identités. Des générations de dirigeants se sont efforcées de « faire la paix au Moyen-Orient ». Si l'on ne veut pas renouveler les erreurs du passé, il convient de s'interroger sur les raisons de leurs échecs. Si l'on est convaincu que cette région sortira de l'ornière où elle s'est enlisée, si l'on tient vraiment à voir cesser ces guerres que personne ne peut gagner, considérons d'abord la complexité de la situation. Le Moyen-Orient échappe à toutes les définitions. Vouloir le réduire à une entité abstraite, c'est courir le risque de nouveaux affrontements et de nouvelles déceptions. Dans un espace si nourri de mémoire, mortifié de se voir relégué à l'écart des pays les plus développés, il faut user de conviction et de justice, d'audace et de justesse.

Le monde se répartit, depuis la fin de la Seconde Guerre mondiale, en grandes régions, dont il est possible de donner une définition linguistique ou politique, religieuse ou économique. Le Moyen-Orient, lui, n'a pas de frontière précise. L'Amérique latine existe historiquement, elle correspond à une communauté de références intellectuelles, spirituelles, religieuses, qui lui confèrent un corps et une âme. Si l'on s'interroge sur notre vieille Europe, il y a bien longtemps déjà qu'elle n'est plus « ce petit cap avancé de l'Asie » évoqué par Paul Valéry. Pierre à pierre, à force de rancunes surmontées, de ressentiments abolis, de deuils accomplis, elle s'est dotée d'une structure, dont on peut contester le modèle, mais dont on ne peut plus nier l'existence. Quant à l'Asie du Sud, elle s'avance jour après jour vers une ébauche d'unification.

Le Moyen-Orient constitue l'exception : le définir relève de la gageure. La géographie ne fait que compliquer la tâche : si l'on considère une carte, on est menacé de myopie ou de presbytie. Soit le Moyen-Orient se réduit au « croissant fertile », et alors il n'est rien d'autre qu'un rêve évanoui. Soit, selon une conception plus large qui irait de l'Afrique du Nord à la vallée du Nil jusqu'à Khartoum, la Turquie, l'Iran, les républiques d'Asie centrale, et le Pakistan, il recouvre une réalité extrêmement composite. Alors, comment appréhender le Moyen-Orient ? Quels critères retenir pour décider de ses contours ?

La religion ? Le caractère universel de l'islam pourrait former l'ébauche d'une unité géographique. Mais la Conférence islamique instituée naguère par l'Arabie Saoudite, et qui fut pour ainsi dire le laboratoire de cette réconciliation des pays musulmans, a montré ses limites.

La langue ? Elle participe essentiellement du sentiment d'identité des peuples de la région. C'est d'ailleurs l'un des faits majeurs de ces deux derniers siècles. Le nationalisme arabe, dont l'échec politique, depuis le rêve de Nasser, est la blessure la plus profonde et la plus durable du Moyen-Orient, marque un changement dans les modes de hiérarchisation des groupes : ceux qui se percevaient comme des musulmans de langue arabe ont choisi de se définir comme des Arabes de religion musulmane, créant les conditions d'un rapprochement entre communautés religieuses sur la base de l'arabité linguistique, mais écartant les Arabes musulmans de leurs frères en islam qui ne partageaient pas leur langue : Iraniens, Turcs et Kurdes. La Première Guerre mondiale, très imparfaitement, remodela la région comme un pays d'identité ethno-linguistique. Car si les Turcs y trouvèrent l'occasion de se doter d'un Etat linguistiquement cohérent, c'est dans un cadre politiquement morcelé que les Arabes accédèrent à l'indépendance. Par la suite, la Ligue arabe n'a jamais abouti à une entité économique, ni même à une structure politique. Aujourd'hui, considérer le Moyen-Orient comme la fédération des peuples arabes serait un contresens chargé de menaces : l'une des déchirures les plus sensibles de cette région du monde est justement celle qui oppose les pays arabes aux pays non arabes.

Le monde ne se divise pas d'un trait de plume. Sans doute aucune définition du Moyen-Orient n'est-elle possible, aucune autre en tout cas que celles produites par l'empirisme le plus rebelle aux vaines généralisations, et le plus conscient des exigences d'une réalité compliquée.

L'étendue du Moyen-Orient, sa diversité irréductible à la conceptualisation font partie intégrante de sa singularité. Cette région du monde, formée de paysages méditerranéens, de déserts et d'oasis qui servent de refuges à tant de mythes, de récits, et d'histoire vécue ou rêvée, est immense. Qui veut contribuer à la paix entre les peuples meurtris doit d'abord prendre la mesure des rivalités et des haines enchevêtrées. On ne guérit que les maux dont on a déterminé la nature et l'étendue. Croire que la signature d'un traité de reconnaissance mutuelle entre Palestiniens et Israéliens suffira seule à apporter la paix est une erreur qui méconnaît l'importance de plusieurs faits.

En premier lieu, Israël n'aura la paix que le jour où il aura conclu un accord avec la Syrie, le Liban, l'Iran, l'Arabie Saoudite, et avec une vingtaine de pays qui affichent encore leur hostilité. Un traité avec les seuls Palestiniens ne suffira pas à assurer la sécurité d'Israël. La paix doit être globale. On peut penser que la conclusion d'un accord avec la Syrie serait rapidement imitée par de nombreux pays arabes et musulmans.

Un traité avec Israël ne suffira pas davantage à garantir la paix de la Palestine. Les Palestiniens ne connaîtront la sérénité que le jour où leur existence collective aura été acceptée et reconnue, par Israël d'abord et par l'ensemble des Etats arabes. La réconciliation doit aussi s'achever entre Palestine et Jordanie : il faudra du temps pour effacer le souvenir de ce septembre noir de 1970 où des milliers de Palestiniens d'Amman furent massacrés par l'armée jordanienne lorsqu'ils voulurent prendre le contrôle du royaume hachémite. Il faudra beaucoup de temps pour réconcilier Palestiniens et Syriens, Palestiniens et Libanais. Résoudre le problème palestinien ne signifie donc pas simplement – même si c'est évidemment le préalable auquel il est impossible de se dérober – obtenir d'Israël qu'il renonce à une occupation aussi humiliante pour l'occupé que corruptrice pour l'occupant. C'est aboutir à une meilleure reconnaissance par les pays du Moyen-Orient que concerne directement la question de l'existence d'un peuple palestinien. C'est, en somme, élargir ses horizons sans jamais perdre de vue le nœud du problème, qui se situe quelque part entre Jérusalem et Tel-Aviv. Enfin, quand bien même on arriverait à garantir, dans ce « nouveau Moyen-Orient » dont rêvent les pacifistes israéliens et palestiniens, une vie paisible pour chacun de ces deux peuples, dans la reconnaissance unanime de leurs légitimités indissociables, on n'aurait pas fait la paix.

Comment oublier en effet la dimension religieuse, voire mystique, que certains des peuples du Moyen-Orient confèrent aux guerres qui les déchirent ? Il revient à la politique d'élaborer des compromis, inconcevables pour les religions. Reste que la plus grande violence que l'on puisse faire à un peuple, c'est d'ignorer ses croyances. Ali, le gendre du prophète Mahomet, disait que « l'homme est l'ennemi de ce qu'il ignore ».

Le Moyen-Orient est l'apanage du sacré : il y a là non une Terre sainte, mais des terres saintes, chacune chargée d'esprit par des êtres animés depuis des siècles de toute la force de leur foi. Renan en faisait la remarque : le désert, aussi rebelle aux frontières que l'océan, était destiné à être le lieu où serait recueillie l'universalité du message monothéiste. Pour les religions du Livre, il y aura, autour du Dieu unique, des cités élues, des villes choisies, des lieux qui, en somme, comptent plus que les autres. Pour ne pas en avoir toujours eu conscience, la diplomatie, parfois, s'est fourvoyée.

Il était prévisible que certains musulmans réagiraient violemment à la présence en Arabie Saoudite de troupes étrangères, car cette terre est sainte pour l'Islam. En a-t-on pris la mesure ? Il suffit d'ouvrir le Coran pour apprendre ce que représente La Mecque aux yeux d'un musulman. La vingt-deuxième sourate s'intitule « Le Pèlerinage » : on y découvre ce qu'un lieu, un seul sur la Terre, représente pour plus d'un milliard d'êtres, et la précaution avec laquelle il faut en parler, s'en approcher, et plus encore y envoyer son armée, au risque de profaner cette antique maison, cet « oratoire sacré » dont le Prophète prescrit de préserver la pureté.

Ce n'est pas par simple effet de langage qu'on dit de Jérusalem qu'elle est trois fois sainte. Qui ne sait que le mont des Oliviers fut pour le Christ lui-même un lieu de doute, éprouvé pendant la nuit de Gethsémani ? Cette colline, où les disciples au lieu de veiller se sont endormis, se situe à égale distance du temple auguste où retentissaient les prières abandonnées de David et les indignations enflammées de Salomon, du rocher blanc d'où le prophète Mahomet s'est envolé vers les cieux, et du Golgotha, où Jésus fut crucifié. Il existe là une charge immense et effroyable de fatalité, des passions forcées de se déchaîner, des bûchers qui continuent de brûler et que l'on risque, si l'on n'y prend garde, d'entretenir par de nouveaux incendies.

Le destin se nourrit des religions, mais aussi de la mémoire des peuples. Le Moyen-Orient est né de la mort de l'Empire ottoman. Ces peuples qui se ressemblent et se déchirent ont commencé d'exister pour les uns, de réexister pour les autres, quand la loi turque a cessé de les régir, d'où trois conséquences.

Avant tout, les peuples de cette région partagent la même méfiance, teintée d'humiliation et de peur, à l'égard des empires. Ils refusent toute forme d'hégémonie, et ils sont prompts à en pressentir la résurgence. Ils ont trop longtemps subi la loi des autres pour accepter sans réticence qu'une volonté étrangère les gouverne. C'est pourquoi l'« Empire américain », après les puissances mandataires, suscite des résonances si vives. C'est pourquoi la diplomatie européenne n'aura des chances de réussir que si elle n'apparaît pas comme hégémonique, impérialiste ou porte-voix des messages américains. Le Moyen-Orient est, plus encore que d'autres régions, rebelle à l'évocation même de l'idée de colonisation.

Les colonisateurs, dans la mémoire collective des peuples du Moyen-Orient, ce sont, ensemble, les Européens et les Turcs. D'où un sentiment de méfiance envers la Turquie, accompagné d'une assimilation spontanée de ce pays à l'Europe. L'Empire ottoman a été une puissance occupante, comme le Royaume-Uni, comme la France. Istanbul fait partie, au même titre que Londres, des cibles des islamistes. Les Turcs représentent pour les Orientaux des Occidentaux, pour les Asiatiques des Européens. La Turquie a renoncé à l'alphabet arabe pour adopter l'alphabet latin. L'Etat kémaliste est laïque et Ankara a même adopté le modèle occidental de la démocratie.

Le Moyen-Orient a été, pendant des siècles, dominé par un empire qui n'était pas arabe, bien que musulman. Il en a gardé le sentiment durable d'une offense à venger. L'une des grilles de lecture des guerres du Moyen-Orient, on l'a vu, réside dans l'inimitié de certains peuples arabes à l'égard d'autres peuples musulmans non arabes. Ce qui explique l'isolement de la Turquie, ses rapports toujours ambigus avec Téhéran et l'islam chiite, lui-même hétérodoxe aux yeux de l'Arabie Saoudite et des sunnites iraquiens.

Mais faire la part de la fatalité dans les guerres du Moyen-Orient impose de comprendre à la fois le mouvement sioniste et la lutte palestinienne. Le sionisme se définit, dans le cadre intellectuel des nationalismes du XIXe siècle, par l'aspiration des Juifs à disposer d'un Etat pris sur une partie de la Palestine mandataire. Si cette revendication a occupé une place tellement éminente dans la conscience des Juifs et dans l'histoire des idées, c'est sans doute parce qu'elle se situe au point de rencontre de deux sentiments présents dans le cœur de tous les hommes : la lucidité et l'espoir, l'analyse et la volonté, la désillusion et l'illusion. Les sionistes ont fait le pari que tout était perdu et que tout était possible. Leur combat repose d'abord sur leur douloureuse expérience en Europe. La création d'un Etat juif leur paraissait un rêve d'une espèce très originale : une utopie nécessaire, une chimère dictée par le réalisme. Dans l'Europe de la Belle Epoque, profondément marquée par l'affaire Dreyfus, ils se sentaient poussés par l'urgence : « Donnez-nous une grotte, un trou pour nous y réfugier », écrivait en 1904 Yosef Brenner. Le sionisme est un élan d'espoir : puisque les autres peuples ne voulaient pas des Juifs, les Juifs construiraient eux-mêmes leur destin et façonneraient leur propre territoire, qu'ils défendraient eux-mêmes si l'idée venait à certains de l'attaquer. Le sionisme serait une réponse à l'antisémitisme. Et depuis l'abîme des camps, Israël occupe dans l'âme juive une place qu'on peut sans doute résumer ainsi : les Juifs peuvent vivre en dehors d'Israël, mais ils ne pourraient pas vivre sans Israël.

Les sionistes ont fait le pari que tout était possible. La réussite de leur rêve constitue une véritable leçon d'optimisme pour ceux qui croient aux oppressions irrémédiables. Dans un monde dominé par une violence dont ils étaient les premières victimes, quelques intellectuels d'Europe centrale ont pu, en misant d'abord sur la seule puissance des idées, rassembler des persécutés que ne fédéraient ni la langue, ni même les traditions, et faire de ces dispersés un peuple uni autour d'un même drapeau, d'une même langue, d'une même culture.

D'un autre côté, il n'y a jamais eu d'Etat palestinien. Tout reste à faire. Ainsi s'explique peut-être la crainte de certains Palestiniens : l'esprit de la lutte qui anime une si grande part de leur culture, devra laisser un jour la place aux lois de la réalité. Le peuple palestinien, comme tous les peuples de la Terre, a droit à son territoire, à son Etat. Il est temps de lui offrir la souveraineté à laquelle il aspire : c'est une nécessité, mieux, un devoir.

Les menaces

Pour donner au Moyen-Orient la place qui lui revient, pour l'accompagner dans son développement, favoriser sa croissance, arracher les racines de la violence et de la haine, il faut d'abord travailler à éradiquer les principaux facteurs de déstabilisation, à commencer par le terrorisme. Rien ne peut justifier une idéologie de la mort qui met le suicide au service du meurtre. En combattant cette menace, on n'engage pas la guerre d'une civilisation contre une autre, mais le combat de toutes les civilisations contre la barbarie. Cette conviction ne doit pas interdire d'en chercher les origines et les mécanismes. Une réponse immédiate est nécessaire par les moyens militaires, policiers ou de renseignement, mais pour obtenir des résultats durables, il faut agir sur les causes du terrorisme en s'attaquant aux maux qui alimentent les idéologies extrémistes et favorisent leur emprise : le manque de formation et de culture, le déracinement, la pauvreté endémique, l'absence de toute perspective de progrès politique ou de développement.

Avec le 11 septembre, le monde est entré dans l'âge du terrorisme de masse qui frappe de manière aveugle et spectaculaire sur tous les continents, y compris au cœur des pays qui paraissent les moins vulnérables. Il combine nouvelles technologies et moyens rudimentaires, exploitant l'esprit de sacrifice d'exécutants fanatisés. Il enregistre des bilans terrifiants qui seraient décuplés si ces réseaux retournaient contre nous des armes de destruction massive mises à leur portée par des trafics de matières et de technologies sensibles et par des scientifiques à la dérive. Les formes de violence auxquelles il recourt sont difficiles à combattre : face à l'exaltation du sacrifice, les instruments classiques de la puissance sont largement inopérants. Par là même, le terrorisme a acquis une dimension stratégique, car il nous menace d'un conflit asymétrique, du faible au fort, de la périphérie au centre. D'un monde fondé sur un équilibre Est-Ouest où la tension fondamentale avait des répercussions locales limitées, nous sommes entrés dans un monde où les déséquilibres locaux risquent d'avoir des conséquences globales. Se profile une nouvelle bipolarité qui opposerait les bénéficiaires de la modernité à la coalition de tous ceux qu'elle laisse en marge.

L'organisation de ce terrorisme le rend difficile à déjouer. Réussit-on à démanteler un groupe local, on ne trouve pas de filière à remonter. Croit-on l'avoir éradiqué, on constate qu'il reprend pied ailleurs. Le nouveau terrorisme est protéiforme, s'adapte en permanence et à grande vitesse. Tirant parti des failles d'un univers devenu global, il exploite les problématiques locales : sa toile déborde les frontières et diffuse par des canaux secrets ses effets déstabilisateurs d'un théâtre d'opérations à l'autre ; il s'installe dans les zones fragiles, attise les foyers d'agitation, entretient les plaies ouvertes, cherche à fédérer les ressentiments pour constituer un bloc des exclus de la modernité. Son dessein ultime est de provoquer un choc des cultures et des religions. Dans cette perspective, il table sur l'enclenchement d'une spirale d'agressions et de représailles.

Unique dans ses méthodes, le terrorisme est de nature diverse. Avec Al-Qaeda, nous sommes confrontés à un terrorisme global qui trouve en lui-même sa propre finalité. D'autres terrorismes se greffent sur des mouvements de libération nationale ou de contestation sociale, recourant à la violence aveugle faute de perspective immédiate, avec l'arrière-pensée d'en créer les conditions. Les liens entre les groupes terroristes et les revendications nationalistes, chaque jour plus évidents, donnent au terrorisme une dimension politique. En retour, ils confèrent aux mouvements nationalistes une audience renforcée.

Entre les différentes formes de terrorisme, des convergences tactiques apparaissent, de telle sorte que le global rejoint le régional. Le terrorisme devient ainsi le miroir sombre de la modernité. Il comporte une double dimension : planétaire, parce que ses réseaux trouvent des relais sur l'ensemble des continents, établissent des liens d'un pays à l'autre, utilisent les moyens de communication les plus performants ; locale, dans la mesure où ses cellules s'appuient sur des individus, exploitent les particularités géographiques.

C'est le cas en Iraq, où la présence des troupes de la coalition a suscité une rencontre opportuniste d'intérêts entre nostalgiques de Saddam Hussein, islamistes iraquiens et terroristes internationaux infiltrés à la faveur de la porosité des frontières. Globaliser la menace en refusant de voir les différences de nature au sein du terrorisme est la meilleure façon de précipiter cette convergence tactique qu'il importe précisément d'éviter.

L'organisation d'Oussama Ben Laden se rattache à la mouvance islamiste radicale qui constitue, depuis les années 1990, le principal vivier du terrorisme international. Elle est née au Pakistan dans le contexte de la guerre menée contre les Soviétiques en Afghanistan, qui attira des volontaires venus de tout le monde arabe, voire islamique. Premier théâtre de jihad à l'époque contemporaine, l'Afghanistan s'était transformé, dans les années qui suivirent le retrait de l'URSS, en véritable sanctuaire de l'islamisme extrême. Le gouvernement des talibans, longtemps soutenu par le Pakistan pour des raisons stratégiques, ethniques et religieuses, vivait en situation d'étroite imbrication avec Al-Qaeda, qui put déployer en Afghanistan bases et camps d'entraînement, et apporter son soutien logistique et financier à de nombreux groupes locaux opérant tant au Moyen-Orient qu'en Afrique de l'Est, dans le Caucase, en Asie centrale et du Sud, sans parler du Maghreb et de l'Europe.

Privée de son sanctuaire par l'intervention de la coalition, Al-Qaeda s'est restructurée en réseau informel et transnational de groupes locaux, dont les objectifs sont distincts mais l'idéologie et les méthodes comparables. Entre ces groupes il n'existe pas de liens directs. Mais ils puisent dans un même vivier, qui est loin de se limiter au Moyen-Orient arabe et touche plutôt la périphérie du monde musulman, y compris sa composante occidentale. Quant à son idéologie, elle a poussé sur le terreau du wahhabisme : rivée à une interprétation littérale du Coran, elle refuse toute forme de modernité et entend en éradiquer les manifestations, notamment au sein des sociétés musulmanes que leurs gouvernements « corrompus » ont rendues « impies ». De fait, les pays islamiques sont devenus les cibles principales d'Al-Qaeda, qui nourrit sans doute l'arrière-pensée d'y dresser la population contre les régimes politiques adeptes d'un islam modéré et tolérant.

Pas question de transiger avec ceux qui frappent des innocents, qui prétendent anéantir notre organisation politique et sociale et jusqu'à l'ensemble des valeurs qui fondent l'humanité. Mais devant un ennemi insaisissable, nous devons être pragmatiques : nous montrer, nous aussi, plus souples et moins prévisibles ; éviter de tomber dans les pièges manichéens qui nous sont tendus et auxquels expose une approche trop étroitement sécuritaire. Le terrorisme est injustifiable ; il sait néanmoins se donner les apparences de la légitimité nationale, brandir le drapeau de la justice, usurper la cause des identités bafouées. Notre réplique ne doit pas nourrir cette imposture. Mieux : elle doit être conçue pour délégitimer les terroristes. D'où la nécessité de régler les problèmes qu'ils exploitent. D'où la nécessité également de s'en tenir, dans notre combat, aux règles de droit et aux principes au nom desquels nous sommes mobilisés. Précisément parce que notre lutte est juste, il convient d'en apporter la démonstration en agissant toujours dans le cadre de la justice et de la démocratie. C'est une exigence morale et une condition d'efficacité.

Pour espérer réussir, les Etats doivent coopérer étroitement. Mais comment cette coopération aurait-elle des chances de réussir si on ne s'attaque pas également à la racine des problèmes que le terrorisme exploite ? Parce qu'il existe des terrains favorables comme le sentiment d'injustice et le déni d'identité, la lutte contre le terrorisme passe par une transformation des données sociales, économiques et politiques dans les pays où il prend sa source. Cette méthode fera disparaître les sympathies que les terroristes éveillent et les échos qu'ils trouvent au sein de populations déboussolées.

Pour relever le défi, nous devons donc mettre au point, dans l'unité, des stratégies globales et graduelles. La recherche de solutions aux conflits régionaux, en particulier le conflit israélo-palestinien, constitue un préalable pour apaiser le sentiment d'injustice des populations. Ensuite, nous devons encourager la dynamique interne de réforme des Etats du Moyen-Orient vers la démocratie et les valeurs universelles. Ce qui suppose des programmes de soutien adaptés aux différentes situations locales, en utilisant nos atouts spécifiques dans chaque pays. La démocratie ne pouvant s'enraciner sans classes moyennes et un niveau socio-éducatif minimum, nous devons travailler au développement économique dans un esprit de partage et une perspective d'intégration régionale. La dynamique du regroupement à l'œuvre presque partout dans le monde à l'exclusion justement du Moyen-Orient est un facteur de stabilité et crée un espace de responsabilité pour le règlement des conflits. C'est en ce sens que nous devons agir pour renforcer l'union du Maghreb arabe, faire émerger le Conseil de coopération des Etats arabes du Golfe et encourager la réforme de la Ligue arabe dont les institutions doivent être complètement repensées. A terme, la région est appelée à constituer un cadre de sécurité collective qui fait actuellement défaut ; il faut d'ores et déjà en préparer le terrain.

Du règlement de la question terroriste, il convient de rapprocher la prolifération : les deux périls menacent de se rejoindre. Parce que dans sa logique nihiliste il cherche à faire un maximum de victimes, le terrorisme de masse s'intéresse aux armes de destruction massive. Déjà, de premières tentatives d'utilisation de souches biologiques à des fins criminelles ont été décelées. Malheureusement, jamais les circonstances n'ont été aussi favorables à la conjonction des deux menaces. Le trafic de matières et technologies sensibles, de vecteurs, voire de scientifiques s'accroît. La mondialisation, qui abolit les distances, efface les frontières et connecte les fichiers informatiques, favorise la circulation des personnes, des matériels et des renseignements, tout en garantissant l'opacité des financements. Les conditions sont réunies pour que se développent programmes clandestins et coopérations technologiques interlopes.

Si les armes de destruction massive sont à la portée des terroristes, *a fortiori* le sont-elles des Etats. Tous ceux qui cherchent à s'en procurer n'ont pas des intentions belliqueuses. Certains se sentent vulnérables et désirent se protéger en sanctuarisant leur territoire. Leur démarche n'en reste pas moins fondamentalement dangereuse. Dans des régions en crise, l'introduction de telles armes fera basculer les équilibres, avec les risques d'affrontements qui en résultent. Aussi la lutte contre leur prolifération est-elle une condition de la paix. Le cas nord-coréen illustre la nécessité d'une intervention à propos dans le temps et opportune dans ses moyens. Quand un pays malintentionné a réussi à se procurer l'arme atomique, il est trop tard. Là encore, la force et la résignation sont à bannir.

L'exemple récent du programme nucléaire iranien illustre les ressources de la diplomatie quand la communauté internationale en use avec détermination et dans l'unité. Devant les soupçons éveillés par les rapports de l'Agence internationale de l'énergie atomique sur l'existence d'un programme clandestin à finalité militaire, on s'interrogea : six mois à peine après l'intervention militaire en Iraq, fallait-il envisager un scénario de même nature ? Ou, à défaut, laisserait-on se créer une situation comparable à celle que nous connaissons avec la Corée du Nord ?

L'Union européenne a fait le pari du dialogue sans faiblesse. Dans l'état actuel du monde, les incitations à s'intégrer au sein de la communauté internationale sont fortes. L'Iran y est sensible, comme désormais la Libye, à condition de ne pas entrer dans une logique de confrontation. A condition également que ce processus ouvre des perspectives pour tous : pour l'Iran, être respecté dans son environnement régional, poursuivre dans la voie du développement économique et technologique, exercer dans la région les responsabilités auxquelles son histoire, sa population et ses richesses naturelles lui donnent vocation ; pour le Moyen-Orient, qui a besoin de paix et de stabilité ; pour l'Europe, qui ne peut accepter les risques que ferait peser sur sa sécurité un Iran détenteur de l'arme nucléaire ; et pour la communauté internationale, en quête d'une méthode de règlement des crises de prolifération.

La ruse et la grâce

La paix se fait avec les peuples, et non contre eux. Elle est mieux servie par la ruse et par la grâce que par la foudre. Chacun connaît la solution : deux Etats souverains vivant côte à côte en paix et en sécurité – l'Etat d'Israël pour le peuple juif, et l'Etat palestinien pour la population arabe, musulmane et chrétienne de Palestine. Un tel accord repose sur deux préalables : une analyse réaliste de la revendication des réfugiés palestiniens au retour sur le territoire israélien, le démantèlement par Israël de ses colonies qui morcellent le territoire palestinien. Faire la paix, c'est prendre la conscience et la mesure de ce que l'autre ne saurait pas accepter. La paix, ce ne sont pas des réconciliations spectaculaires ni des effusions illusoires, ce sont des frontières garanties et la haine chassée des temples.

Les communautés nationales de cette région ne survivront d'ailleurs pas dans une situation de guerre perpétuelle. L'approvisionnement en eau est au cœur des préoccupations. Les deux grands projets – le canal mer Rouge-mer Morte, et le canal souterrain qui relierait la Turquie au golfe d'Aqaba – supposent la paix comme préalable. Le drame du Proche-Orient s'exprime tout entier dans ce constat : une nécessité aussi naturelle et vitale que l'eau est subordonnée à une exigence aussi laborieuse que le compromis.

La paix ne se fera pas sans l'Europe. On regarde parfois avec une bienveillance attendrie, ou avec une méfiance irritée, ce continent qui veut servir d'intermédiaire entre des peuples qui ignoreraient tout d'elle et qui n'attendraient leur salut que d'une Amérique seule capable de le leur garantir. Mais l'Europe a plus que son mot à dire : sa responsabilité est historique. Sa place éminente s'explique au moins par deux raisons.

D'abord, les pays du Moyen-Orient ont été profondément liés à l'Europe et en conservent l'empreinte gravée. La colonisation, c'est bien sûr la violation par un peuple de la dignité d'un autre, c'est l'histoire d'une injustice. Mais c'est aussi le souvenir d'un passé commun, depuis les négociations qui, à Sèvres et à Versailles pendant l'été 1920, ont conduit au partage des débris de l'Empire ottoman. Le fait que la Palestine ait été britannique, que la Syrie et le Liban aient été français, laisse des traces profondes et ineffaçables dans la conscience des peuples.

A cette donnée s'ajoute une chance, que les pays européens ont à présent l'occasion de saisir : avoir été un Empire, et ne plus l'être. Les Etats-Unis creusent chaque jour un peu plus le fossé entre eux et le reste du monde : qui, sinon l'Europe, peut renouer les liens rompus ? Ayons l'humilité de prendre les choses comme elles sont. Pour être digne de la responsabilité qui lui revient, l'Europe devra concilier l'aptitude au rêve avec l'obsession du réalisme. Nous sommes, au Moyen-Orient, sur des terres où, pour employer l'expression de Chaïm Weizmann, « ne pas croire aux miracles serait faire preuve d'irréalisme ».

Ce qui est vrai de l'Europe l'est également des Etats-Unis : la paix au Moyen-Orient ne se fera pas sans eux. Chacun sait qu'ils fournissent à Israël une aide militaire et économique, sans laquelle ce pays ne pourrait faire face aux charges de sa défense. Les pays de la région, conscients des rapports de force, sont convaincus qu'il n'existe pas de solution aux conflits locaux en dehors d'un engagement américain. Bien souvent, l'attitude circonspecte ou même critique des gouvernements à l'égard de l'Amérique cache en fait un secret désir d'être reconnus par elle comme interlocuteurs privilégiés. Autant dire que les Etats-Unis disposent au Moyen-Orient d'un éventail d'action et des indispensables moyens de pression pour promouvoir un règlement, à condition bien entendu de répondre aux exigences de sécurité des uns et de justice des autres.

L'administration Clinton avait estimé à juste titre que l'urgence concernait le règlement du conflit israélo-palestinien. A l'époque, l'engagement américain avait permis une percée impliquant des concessions des deux parties, concessions que peu d'observateurs auraient crues possibles. Mises en perspective, examinées à la lumière de l'accord dont elles étaient porteuses, elles n'avaient suscité aucune levée de boucliers chez les peuples concernés qui, hors de ce contexte, les auraient sans doute récusées. Plusieurs années se sont écoulées depuis et les données du problème paraissent inchangées, à ceci près qu'elles se sont alourdies de souffrances et de deuils supplémentaires. Sans un règlement du conflit israélo-palestinien, il n'y aura pas de stabilisation dans la région et alentour. Comment espérer, en particulier, ramener la sécurité en Iraq alors que les fauteurs de troubles peuvent en permanence verser du sel sur la vieille blessure ?

De Nixon à Clinton en passant par Carter et Reagan, les plans de paix américains pour le Proche-Orient n'ont pas manqué. De puissants moyens diplomatiques, assortis d'alléchantes perspectives économiques et politiques, ont été déployés pour les faire aboutir. Des personnalités de talent comme Kissinger, Shultz ou Baker s'y sont investies, ne ménageant ni leur temps ni leur peine. Si elles n'ont pas réussi, c'est peut-être parce que au Moyen-Orient une analyse rationnelle fondée sur l'intérêt bien compris des parties n'est pas suffisante pour emporter la conviction des peuples. Ceux-ci veulent à coup sûr des changements concrets dans leur vie quotidienne ; mais ils ambitionnent avant tout d'être reconnus, et ils veulent qu'on leur fasse justice. Si la paix qu'on leur propose n'y conduit pas, ils attendront. Même si l'échéance ne se situe pas à l'horizon d'une vie. Leur temps n'est pas toujours le nôtre. Et leur conception du destin est collective. L'Europe pour sa part apporte le correctif d'une plus forte conscience de la complexité, de la diversité et de la fragilité des choses, fondée sur son expérience particulière.

Au Moyen-Orient, les Etats-Unis et l'Europe ont donc la possibilité d'exploiter leur complémentarité, d'unir leurs expériences et leur vision. Œuvrant au nom des mêmes valeurs en vue d'un monde plus sûr et plus prospère, partageant le même diagnostic sur la nature et la gravité des menaces, le même intérêt à relever les défis communs, mobilisées côte à côte sur nombre de théâtres d'opérations, mais chacune forte de son expérience historique et de son mode de relations spécifique avec les peuples du Moyen-Orient, les démocraties des deux rives de l'Atlantique ont toutes raisons de nouer dans cette région un partenariat étroit et solidaire.

Ce qui est vrai pour l'Europe s'applique à d'autres partenaires. Comment trouver des solutions aux conflits du Moyen-Orient sans solliciter l'ensemble des Etats auxquels leur situation donne une aptitude particulière à en comprendre les ressorts ? La Russie s'y trouve en position de puissance régionale. La Turquie et l'Iran, qui vivent en situation d'imbrication avec le Moyen-Orient arabe à travers leurs minorités kurdes et arabophones, prennent leur part des grands enjeux, et sont sensibles à la dimension religieuse des problèmes. Et comment tenir à l'écart le reste de la communauté internationale alors que des défis globaux, terrorisme et prolifération, sont en cause ?

La communauté internationale a le devoir d'engager une action résolue au Proche-Orient. L'instrument existe, c'est la « Feuille de route » approuvée par tous les protagonistes, qui fixe un calendrier aboutissant à la coexistence de deux Etats. Divers documents, comme l'initiative israélo-palestinienne de Genève, ont dégagé l'horizon en esquissant les contours de ce que pourrait être un accord final qui n'éluderait pas les problèmes de fond, comme la question des frontières, le statut de Jérusalem et le droit au retour des réfugiés. Mais la dynamique de la négociation ne parvient pas à s'enclencher parce que les deux parties sont enfermées dans une logique des préalables : Israël subordonne tout à un arrêt des violences, et les Palestiniens à un changement dans la situation d'occupation militaire qu'ils subissent. De sorte que les adversaires de la paix ont pris le processus en otage : chaque fois que la négociation va s'amorcer, un attentat se produit qui remet tout en cause.

Les parties doivent sortir de cette impasse où la maîtrise du calendrier appartient aux terroristes, et faire les gestes nécessaires pour rétablir la confiance. Il incombe à la communauté internationale de les accompagner sur cette voie. Quelle que soit la formule retenue, l'important est que le mouvement s'amorce, que se dissipe le fatalisme auquel incline l'accumulation des échecs et que se rétablisse la confiance dans la possibilité d'avancer. Les peuples de la région, meurtris par trop de souvenirs cruels, ne surmonteront pas seuls les inhibitions dues à des décennies de violences. C'est à la communauté internationale, dans l'unité, de raviver en eux l'espoir en leur démontrant, par l'exemple, que d'autres voies existent.

Ne sous-estimons pas la tâche. Que l'on se tourne vers la porte de Bagdad ou vers celle de Jérusalem, les rendez-vous sont difficiles, exigeants, douloureux. L'Europe a besoin des Etats-Unis comme l'Amérique a besoin de l'Europe pour penser et agir sur le monde. Armons-nous de courage, d'audace, de sagesse, soucieux de l'honneur et du respect, convaincus que se jouent aujourd'hui notre destin d'homme civilisé, nos idéaux de paix au Moyen-Orient, de fraternité en Afrique. Soyons au rendez-vous de la justice et de la volonté qui sont au cœur de notre mission d'Européens ou d'Occidentaux. La haine en marche, comme l'égoïsme, peuvent être mortels pour chacun d'entre nous.

CHAPITRE 6

LA DÉMOCRATIE MONDIALE

La crise iraquienne a placé le monde occidental devant un défi : sortir de l'ère des Etats ouverte par le traité de Westphalie, en forgeant de nouvelles valeurs capables d'emporter l'adhésion universelle. La sécurité et la paix ne s'obtiennent plus à travers des calculs, des stratégies, des équilibres de puissance. Elles seront conquises de l'intérieur, par la volonté des hommes et leur aspiration à la liberté. Pour réduire le champ de la violence il faut accroître l'espace sacré de la tolérance et du respect. Qui acceptera que la liberté en deçà des frontières s'accommode au-delà de l'indifférence et de la guerre ? A défaut d'imposer la démocratie par la force, nous pouvons engager une démarche nouvelle et audacieuse qui rallie l'ensemble des peuples, dégage un nouvel horizon. Le besoin est immense, en ce temps où les âges se chevauchent, identités blessées et nationalités froissées, vertiges d'Etats et rêves d'Empires. D'un bout à l'autre de la terre, l'homme doit s'épanouir dans la fidélité à ses racines, enrichi de ses multiples appartenances, de ses solidarités et des affinités qu'il s'est choisies.

Car le temple est détruit, les liens sont défaits, la confiance plus fragile que jamais. Voilà pourquoi il faut aller au-devant des préventions et des peurs, sortir des espaces confinés où nous sommes tentés de nous replier, pour construire des piliers capables de soutenir un ordre démocratique international. Chaque jour nous constatons que cet espoir fédère de plus en plus d'énergies. Depuis plusieurs décennies, comme si la réalité poussait sous l'utopie, on assiste à une affirmation persévérante – quoique sans cesse contrariée – de la volonté manifestée par la communauté internationale d'émerger et de s'organiser. Désormais le monde ne peut plus être regardé comme une simple juxtaposition d'Etats souverains, mais constitue une même humanité, à l'égard de laquelle chaque acteur de la vie internationale endosse une responsabilité propre.

Cette prise de conscience ne se limite pas à une élite, intellectuelle ou politique. Elle est portée par les peuples, façonnée par les blessures de l'histoire et l'image que les médias nous renvoient de nous-mêmes. Avec les premiers vols habités dans l'espace, les hommes ont contemplé de l'extérieur la figure de la Terre ; les deux guerres mondiales ont imposé à l'humanité l'idée d'une communauté de destin ; la prise de conscience du fait écologique oblige à admettre une interdépendance à l'échelle de la planète. Ainsi se définit progressivement une conscience mondiale, celle d'une totalité responsable, quoique fragilisée par de multiples fractures. A ces avancées répondent la création d'autres liens entre les hommes ou les communautés, le développement d'espaces communs à l'échelle de la planète, à l'image de l'Internet, propices à l'émergence d'une opinion publique internationale.

Encore faut-il donner une cohérence et un sens à l'interdépendance. Le monde aspire à plus de délibération collective, de procédures et de garanties légales, à plus de démocratie : il faut pour cela de nouvelles fondations. Sur la scène internationale seuls les Etats peuvent se faire entendre : il faut désormais que chacun bénéficie d'un corpus de droits individuels. L'émergence d'une citoyenneté mondiale fera triompher l'ordre sur le désordre, consolidera ce qui réunit les hommes contre ce qui travaille à les diviser.

La refondation

Il ne s'agit plus seulement de mettre l'homme au centre. Il s'agit de reconnaître ses exigences et ses aspirations. L'impératif humaniste s'impose : il ne constitue plus un choix possible, un choix généreux et utopique, mais une nécessité. Cette règle se traduit avant tout par un devoir de respect à l'égard de l'esprit du monde. Plus question de simplifier l'univers, de le regarder comme un « cosmos » merveilleusement ordonné, tel que le rêvaient les Anciens, mais d'inventer au contraire des principes de connaissance, de dialogue et d'action, qui en expriment l'infinie diversité. Sans méconnaître les progrès extraordinaires qu'autorise la méthode rationnelle et scientifique, qui procède par la segmentation sans fin des savoirs, il nous faut réhabiliter d'autres modes de pensée au travers desquels penser l'humanité pour ce qu'elle est, c'est-à-dire une totalité responsable et consciente.

Seule une exigence de responsabilité collective permettra d'édifier le nouvel ordre international. Puisque nos destins sont liés, nous devons forger un principe de « responsabilité pour autrui », à l'image de celui qu'évoque en 1979 le philosophe allemand Hans Jonas. L'ambition est alors de prendre en compte dans le champ de la morale la nouvelle donne de la technique. Cette révolution doit s'opérer à rebours des tentations individualistes de notre société : elle ne concerne plus simplement la communauté présente, mais les générations futures ; dépassant la logique classique de la justice distributive – que traduit le vieil adage du droit romain « *suum cuique* », « à chacun son dû » –, elle devient asymétrique, non réciproque, telle la responsabilité de l'adulte à l'égard du nouveau-né. A l'opposé du fameux « principe espérance » d'Ernst Bloch, cette conception de la responsabilité fonde le « principe de précaution », justifiant à son tour une éthique de l'abstention et de l'autolimitation. C'est la seule réponse possible à notre pouvoir, constamment plus grand, de transformer le monde.

Du citoyen à l'homme d'Etat, de la sphère économique au domaine de la recherche scientifique, à l'échelle des nations, à l'échelle du monde, nous devons consentir à un bouleversement des esprits. L'enjeu est crucial : de notre capacité à inclure l'exigence de l'autre et l'horizon de l'universel dans notre pensée, de nos choix politiques, nos calculs économiques, notre mode de vie quotidien et nos conceptions morales dépendent la paix et la survie de l'univers. Ce changement prendra du temps avant de s'inscrire durablement dans les mœurs politiques et dans les relations internationales. Mais il est temps d'en poser les fondements, à travers une double exigence : exigence de liberté et de démocratie ; exigence de justice et de légitimité.

L'ambition de la liberté s'inscrit dans le droit fil de l'histoire : au lendemain de la Seconde Guerre mondiale, il est apparu clairement que les démocraties existantes ne pouvaient plus se contenter de respecter ces valeurs exclusivement à l'intérieur de leurs frontières. La démocratie libérale était devenue l'aspiration première des nouveaux Etats créés à la suite du mouvement de décolonisation. La guerre froide a mis entre parenthèses cet espoir de forger un nouvel ordre mondial, car les logiques d'alignement contredisaient les idéaux fondateurs de l'après-guerre. Pourtant, la lutte contre les dictatures en Europe a progressé en leur nom, sapant peu à peu les fondements des régimes autoritaires et oppresseurs. Que les citoyens de Berlin-Est aient obtenu le droit de se rendre dans l'autre moitié de la ville a paru le prélude et le symbole de la victoire de la liberté.

Libérée de l'emprise des blocs, la communauté internationale a donné libre cours à des aspirations trop longtemps contenues. Les explosions de joie accompagnant les événements de 1989 ont ancré la conviction que la liberté, les droits de l'homme, la démocratie étaient bien des valeurs communes à tous les hommes, sans distinction de race, de croyance, de culture. Leur caractère universel s'affirmait comme une évidence. On ne peut plus se contenter d'une simple adhésion au principe démocratique. Il s'agit de faire en sorte qu'il structure durablement l'architecture des relations internationales. Les mots d'ordre doivent être aujourd'hui le mouvement, l'exigence, l'ambition. Beaucoup de chemin reste à parcourir. Comme le montrent les échecs de nombreuses tentatives de démocratisation en Afrique au début des années 1990, pourtant porteuses d'espoir, c'est un processus qui enclenche une dialectique parfois conflictuelle entre l'universel et le particulier, les valeurs de la démocratie et les spécificités nationales, ethniques ou culturelles, le respect de la souveraineté des Etats et le combat pour les droits de l'homme.

Si la démocratie et la liberté sont des références universelles, les formes à travers lesquelles elles se concrétisent n'échappent pas aux particularismes de chaque pays, de chaque culture. Rien ne serait pire que d'accréditer l'idée selon laquelle la promotion de la démocratie ne serait qu'un nouvel avatar de l'impérialisme occidental. L'un des objectifs les plus importants des décennies à venir sera sans aucun doute de prouver l'universalisme des valeurs démocratiques : oui, la démocratie est possible en Afrique, oui, elle peut s'ancrer dans le monde musulman, oui, elle a vocation à ouvrir de nouvelles voies en Asie. La diversité des régimes démocratiques ne contredit en rien l'universalisme des valeurs qui les fondent : en Europe même, où les cultures politiques sont extrêmement proches, les formes de gouvernement sont différentes. La démocratie peut et doit prendre en compte les particularités de chaque société, que ce soit la place de la religion dans les pays musulmans, ou la prégnance des modèles ancestraux dans certaines sociétés africaines. A nier cette diversité, à ne pas respecter les traits profonds qui marquent les cultures politiques, les valeurs démocratiques perdraient toute chance de prouver leur efficacité.

La démocratie ne découle pas d'une formule abstraite, d'une recette rigide transposable d'un pays à l'autre, d'une société à une autre. Des élections libres et transparentes sont indispensables. Elles ne suffisent pas ; le parlementarisme n'est parfois qu'une simple façade. De même le pluripartisme est une coquille vide lorsqu'il sert, comme on l'a vu dans certains pays, à renforcer l'influence des clans qui se partagent le pouvoir. En revanche, les valeurs démocratiques ne sont pas en mesure de prospérer sans une culture politique fondée sur la liberté, celle des électeurs, celle des médias, celle des partis. L'apprentissage des pratiques démocratiques se fait dans la durée : la démocratie, pour survivre, ne peut s'enraciner qu'au rythme imposé par l'évolution des mœurs et des mentalités. Elle était encore contestée en France dans les années 1930, alors qu'elle avait déjà plusieurs décennies de vie : preuve qu'il faut beaucoup de temps pour que s'affermisse la confiance d'un peuple dans ses institutions. Le doute qui nous étreint, à ce tournant de siècle, montre que rien n'est définitivement acquis.

Le combat pour la démocratie ne se déroule pas sur des planisphères lisses, à partir de calculs abstraits ou de règles désincarnées : il s'inscrit dans la réalité du monde. La mondialisation, l'effacement progressif des frontières et l'uniformisation des modes de pensée sembleraient indiquer que le respect de l'intégrité d'un pays ne représente plus, dans l'ordre international, une ligne rouge infranchissable. Ce serait méconnaître la réalité des faits. Ce serait surtout ignorer que la souveraineté d'un pays ne se limite pas à la valeur sacrée de ses frontières ou à l'indépendance de ses autorités : elle s'ancre dans l'histoire des peuples, leur mémoire et leur fierté. On peut libérer un pays de ses oppresseurs, pas faire renoncer un peuple à son âme.

Voilà pourquoi la souveraineté demeure le principe fondateur du droit international : son corollaire reste la non-ingérence dans les affaires intérieures d'un autre Etat. Certes, depuis Henri Dunant, nombreux sont ceux qui ont dénoncé les méfaits commis par certains régimes à l'encontre de leurs peuples sous prétexte de souveraineté. Pour René Cassin, ce respect sans exception de la souveraineté nationale accordait un véritable « droit régalien au meurtre ». Depuis la guerre des Balkans et le génocide rwandais, l'Onu a d'ailleurs admis l'idée d'un « droit d'ingérence » lorsque des populations civiles sont en danger. Cette démarche a guidé toutes les interventions humanitaires depuis le Kosovo. Mais, justifiée dans ces hypothèses fondatrices, elle ne va pas de soi lorsqu'il s'agit d'imposer le respect des libertés fondamentales à un Etat qui les méconnaît ou d'installer d'autorité la démocratie là où elle n'a jamais eu droit de cité. Ce type d'ingérence pourrait rappeler les mauvais souvenirs de la « mission civilisatrice » que s'était donnée l'Occident avec la colonisation.

Comment inscrire la démocratie dans la durée ? Rien n'assure que le renversement d'un régime despotique grâce à un concours extérieur offrira en même temps la stabilité. Faute de l'appui de l'ensemble de la communauté internationale, la nouvelle légitimité sera susceptible d'être constamment remise en question, au risque de cristalliser le ressentiment des populations concernées et de favoriser les entreprises de ceux qui tirent profit du désordre et du chaos. De surcroît, le recours à la force n'est pas sans susciter des chocs en retour capables de fragiliser des régions entières et d'y discréditer la démocratie. L'allergie à la domination et à la contrainte est quelquefois si forte que l'on risque un rejet des principes démocratiques.

La légitimité s'exprime à travers le dialogue actif, volontaire et énergique. Lui seul promeut les valeurs démocratiques, le respect des libertés et des droits de l'homme. Il constitue la meilleure voie pour favoriser la démocratisation des pays en marge de la communauté internationale. Il faut prendre en compte les évolutions internes de ces sociétés qui sortent de profonds traumatismes historiques. D'où la nécessité de diversifier les interlocuteurs en s'appuyant notamment sur les représentants des sociétés civiles, sur les organisations non gouvernementales qui ont souvent une connaissance approfondie des pays dans lesquels elles sont engagées et sur les organisations régionales, acteurs essentiels parce que reconnus comme légitimes par le plus grand nombre.

C'est vrai, le choix du dialogue implique d'accepter de parler avec tous les pays, même certains régimes autoritaires, sans faiblesse ni esprit de compromission. Il faut être d'autant plus déterminé, et trouver un équilibre constant entre compréhension et exigence, entre pragmatisme et respect des principes. En mettant certains pays au ban de la communauté internationale, non seulement on leur donne des arguments pour se durcir davantage, mais on risque de les acculer à la politique du pire, chantage ou désespoir. Chaque cas bien sûr est particulier, qu'il s'agisse de la Libye ou encore du Zimbabwe, de la Corée du Nord ou de Cuba. En tout état de cause la fermeté vis-à-vis des gouvernements ne doit pas s'exercer sans une attention plus grande portée à tous les peuples.

Faisons confiance à la démocratie, ne sous-estimons pas son pouvoir de conviction, d'adhésion, sa capacité à redonner espoir même dans les situations les plus désespérées. Elle s'installe et se propage par une sorte de porosité des principes et des valeurs. Soyons exemplaires dans notre relation avec les peuples qui n'ont pas la chance de connaître la liberté et le respect des droits. Donnons-leur pour commencer la possibilité de connaître la démocratie sur le plan international. Une pratique démocratique globale peut, en retour, exercer une pression décisive et catalyser l'évolution interne d'un Etat.

Sachons faire vivre ces valeurs dans le cadre multilatéral, là où s'incarne et s'exprime la communauté planétaire. Cette ambition trace aujourd'hui un chemin bien plus sûr que la volonté de faire évoluer séparément les Etats pour n'accueillir au sein de la communauté internationale que des démocraties estampillées. L'Etat-nation et la souveraineté demeurent des données incontournables. La mondialisation engendre toujours de nouveaux acteurs, mais le rôle de l'Etat demeure central. Il faut donc organiser la mondialisation des Etats. Ainsi un cercle vertueux commencera à se dessiner, combinant développement, justice, paix et démocratie. C'est tout l'enjeu d'un combat à la fois exigeant et vigilant, dans une tension permanente entre unité et diversité, entre affirmation de l'universel et respect des particularités.

Pour s'ancrer véritablement, les valeurs démocratiques doivent reposer à tout moment sur une exigence de justice réaffirmée. La communauté internationale possède une responsabilité déterminante à cet égard. Face au désarroi et à l'exacerbation du ressentiment, à elle d'exercer une justice sans faille, faite d'impartialité et de détermination. Nous avons besoin d'une méthode de gestion des crises qui soit à la fois universelle et équitable. L'action de la communauté internationale doit reposer sur une vision globale et des mesures cohérentes. Toutes les crises doivent être traitées selon les mêmes principes, qu'elles éclatent au Moyen-Orient, en Afrique ou en Asie, compte tenu bien sûr des spécificités régionales de chacune d'entre elles.

L'exigence de justice implique également de combattre toujours et partout l'impunité. Des crimes aussi révoltants pour la conscience universelle que le génocide rwandais, les massacres et les tortures perpétrés par les dictatures sanguinaires d'Amérique latine ou l'épuration ethnique dans les Balkans ne peuvent plus rester impunis. Forte de cette conviction, la communauté internationale a su forger des instruments pour faire respecter la loi sur le plan international, lorsque les justices nationales sont incapables de la prendre en charge. Elle a créé des tribunaux internationaux *ad hoc* pour juger les responsables des crimes de masse au Rwanda et en ex-Yougoslavie. Les procès de criminels de guerre sont l'occasion à la fois de châtier les responsables de massacres, de viols et de tortures, et d'énoncer un principe de vérité et de justice qui fonde la réconciliation des peuples : car la stabilité d'une nation ne saurait reposer sur le mensonge, la dissimulation et le ressentiment. L'instauration d'une Cour pénale internationale permanente, à vocation universelle, constitue une nouvelle étape, essentielle dans la structuration d'un ordre plus juste. Elle exprime aussi bien le refus collectif de l'impunité – en affirmant le caractère imprescriptible de tous les crimes – que la reconnaissance de l'universalité des valeurs qui fondent la communauté internationale : universalité et efficacité ont cessé d'être les deux termes incompatibles d'une alliance idéaliste et naïve pour devenir une réalité politique et juridique concrète.

A travers ces tribunaux, le monde a réalisé ce qui n'était qu'une utopie il y a seulement quelques années. Ensemble, nous avons forgé les outils pour mettre fin à l'impunité des tortionnaires, des responsables de crimes de guerre et de crimes contre l'humanité. Ceux-ci ne sont plus à l'abri à l'intérieur de leurs frontières. En ce sens le droit international implique l'ingérence dans les affaires nationales des Etats. Mais, parce qu'il s'agit du droit, et de la communauté internationale tout entière, cette ingérence ne nie pas les principes d'un ordre démocratique mondial, pas plus qu'elle ne remet en cause le fondement de la souveraineté étatique. La Cour pénale internationale permettra l'avènement d'un véritable droit mondial, mais il existe bien d'autres instruments encore pour gérer les crises et les conflits. Le multilatéralisme constitue aujourd'hui le cadre privilégié pour les forger.

L'unité

Toutes les nouvelles questions, tous les nouveaux problèmes qui ne cessent d'émerger démontrent à l'ensemble de la communauté mondiale la nécessité de s'unir. Un nombre croissant d'enjeux – écologiques, économiques, culturels et politiques – échappe désormais à la seule maîtrise des Etats. Un pays acceptera des limitations volontaires de souveraineté s'il y gagne davantage qu'en faisant cavalier seul. Ainsi, aucun pays ne peut aujourd'hui envisager de réduire ses émissions de gaz à effet de serre sans qu'une telle décision, prise isolément, n'handicape sa propre croissance. En s'imposant des contraintes que ses concurrents ne subissent pas, il ferait payer à sa population un sacrifice consenti pour le bénéfice de l'humanité tout entière.

Face à l'affirmation d'enjeux globaux, la souveraineté étatique a laissé un espace au développement d'acteurs nouveaux. On a vu s'affirmer sur la scène mondiale les organisations non gouvernementales ou les collectivités locales, engagées dans des alliances souples et évolutives, permettant une interpénétration du local et du global. Les Etats doivent aujourd'hui prendre conscience que seul le multilatéralisme leur permet de s'insérer dans la logique de la mondialisation et de peser sur elle. Mais ce cadre doit évoluer pour prendre en compte la solidarité nouvelle qui unit les peuples et les nations. Il faut donc inventer les voies d'une revitalisation du multilatéralisme, dans le but d'identifier précisément la source des difficultés qu'il a rencontrées au cours de son histoire.

Au lendemain de la Seconde Guerre, seules les grandes organisations internationales semblaient capables de développer des relations pacifiques et équitables entre les Etats. Couronnant l'ensemble, les Nations unies devaient offrir une enceinte de dialogue et d'arbitrage, et fournir des réponses aux menaces contre la paix et la sécurité internationales. La Charte des Nations unies est signée à San Francisco le 26 juin 1945 par les représentants de cinquante et un pays en guerre contre les puissances de l'Axe. Nourrie de l'expérience de l'échec de la Société des nations, elle définit les règles de droit qui gouvernent les relations entre les peuples et fait du rejet de la force militaire unilatérale le principe cardinal de la gestion des différends. Elle crée les mécanismes qui permettent de prévenir et de désamorcer les risques de conflit, et prévoit, en cas de menace pour la paix ou la sécurité internationale, qu'une autorisation de recourir à la force puisse être donnée par le Conseil de sécurité. Il ne s'agit plus de mettre la guerre hors la loi, comme avait prétendu le faire le pacte Briand-Kellogg en 1928, mais de créer un cadre légal pour l'utilisation de la force. Ce dispositif politique et juridique ambitieux, porté par le souvenir encore brûlant des désastres de la Seconde Guerre mondiale, naît d'une lucidité et d'une volonté : lucidité sur la tendance naturelle des nations à recourir à l'affrontement pour gérer leurs différends ; volonté de sortir de la spirale de la violence pour lui substituer la responsabilité des Etats. Car ils sont bien au cœur des Nations unies : tous représentés, tous en mesure de participer à la décision et de faire valoir leur point de vue.

Pendant la période de la guerre froide, l'Onu reste le seul espace de communication directe entre les deux blocs. L'Organisation permet de nouer un dialogue difficile, dur, parfois violent, comme le montre la crise des missiles de Cuba en 1962. Témoin privilégié des grands bouleversements du dernier demi-siècle, de la guerre froide et de la décolonisation, elle a su se saisir des nouveaux enjeux et se donner les moyens de les prendre en charge, par exemple pour évaluer et parer à la dégradation de l'environnement dès le début des années 1970. L'Onu a surtout forgé des habitudes de transparence et de dialogue, et durablement marqué le chantier de la gestion du monde. La concertation va aujourd'hui de soi. L'Organisation est cette *agora* mondiale dans laquelle tous les pays, grands ou petits, ont droit de cité, de parole et d'écoute.

Centre névralgique des relations internationales depuis plus d'un demi-siècle, l'Onu doit aujourd'hui prendre en compte des bouleversements sans précédent. Avec la dynamique du regroupement régional, elle se voit contrainte de représenter non plus seulement les Etats, mais également de grands ensembles, très intégrés pour certains. De même que les peuples d'Europe continuent de se regrouper, les nations d'Amérique latine resserrent leurs liens et affirment leur intégration. Chaque fois, il ne s'agit pas seulement d'unir les économies, mais de bâtir des projets politiques. Désormais, ces ensembles veulent participer à la construction d'un monde plus uni et plus stable, qui ne peut être que multipolaire.

De plus, de nouveaux défis surgissent sans cesse comme ce nationalisme exacerbé et ces rivalités interethniques qui grippent le fonctionnement du système des Nations unies. Ce sont autant de difficultés que la communauté internationale doit prendre en compte. Comment statuer entre opposants lorsque ceux-ci appartiennent à un même pays qui n'a droit qu'à un seul représentant au sein de l'Organisation ? Sous la pression de ces nouveaux facteurs, l'Onu doit également prendre en compte la transformation de la violence internationale. Les affrontements militaires après 1989, aussi nombreux sinon plus qu'avant, n'ont pas tous été considérés comme des guerres, parce qu'ils n'entrent pas dans les catégories classiques du « conflit » international ou civil. Mais pour les habitants des régions déchirées du Liberia, de l'Angola ou du Soudan en Afrique, pour ceux du Caucase ou du Moyen-Orient toujours prêt à s'enflammer, ce qu'ils vivent s'apparente indéniablement à un état de guerre. Les conflits des Balkans ont montré combien la distinction entre guerres civiles régionales et guerres civiles de type ancien, plus facilement identifiables, est désormais difficile. Les mécanismes actuels ne sont pas encore en mesure d'appréhender pleinement cette nouvelle réalité. La mondialisation entraîne des risques de fragmentation et provoque des dysfonctionnements qui justifient l'urgence d'une réponse multilatérale renouvelée. Le modèle hérité de 1945 porte encore trop la marque des seuls rapports de force pour répondre aux exigences de notre temps. En faisant une place plus large au droit, en prenant en compte tous les acteurs internationaux, les instances multilatérales seront à la hauteur des nouveaux enjeux.

Au cours des quinze dernières années, l'Onu a dû étendre sa compétence aux conflits internes et au terrorisme, ainsi qu'à la prolifération. Chaque fois, elle a forgé les instruments les mieux à même de répondre à ces nouveaux types de violence. Elle a rendu plus efficace sa politique de sanctions, et mis en place un régime de contrôle des armes de destruction massive. Pourquoi lui reprocher son immobilisme alors que tant de fois elle a mené au Cambodge, en Namibie, au Mozambique, au Timor-Est et en Sierra Leone, des opérations de maintien de la paix qui ont sauvé des milliers de vies ? C'est vrai, elle a connu des échecs douloureux à l'occasion de conflits parmi les plus meurtriers des dernières décennies, en Somalie, au Rwanda, dans l'ex-Yougoslavie. Pourtant, dans ces deux dernières régions, face aux déchirements de guerres fratricides, l'Onu a pris en charge l'administration des territoires laissés pour compte, l'aide humanitaire à des populations en plein désarroi et facilité la réconciliation en créant des tribunaux internationaux. Face aux nouveaux besoins, les Nations unies se sont adaptées.

Malgré ses efforts l'Organisation se heurte encore trop souvent à un manque de moyens. Qu'elle intervienne dans un contexte de guerre, et ce sont des problèmes de coordination et d'articulation avec les interventions militaires. En matière d'aide au développement, les institutions souffrent d'une trop grande dispersion et le manque de ressources limite leurs capacités opérationnelles. Enfin, dans sa volonté de promouvoir et de défendre de façon efficace les droits de l'homme à travers le monde, l'Onu n'agit pas à la hauteur de ses ambitions. Mais ces difficultés ne sauraient remettre en cause les principes fondateurs de l'Organisation ni son architecture. Nous voulons que les quatre grands principes fondateurs de la Charte s'appliquent partout dans le monde : respect de la liberté des individus et des peuples ; solidarité entre riches et pauvres, entre ceux qui ont accès au savoir et à l'information et les autres, entre valides et malades, et entre générations ; responsabilité des dirigeants à l'égard des citoyens, des entreprises à l'égard des travailleurs, des générations présentes à l'égard des générations futures ; enfin participation de tous les gouvernements, de petits comme de grands pays, mais aussi des parlements, des collectivités locales, de la société civile – les ONG notamment –, des entreprises. Ces quatre principes placés au centre de l'action des Nations unies doivent conduire à doter le monde de normes communes, universellement valables et respectées.

L'Organisation est soumise à une exigence d'efficacité. Quelle meilleure réponse peut-elle apporter à ses détracteurs, à ceux qui la jugent impuissante, inutile, voire encombrante, que l'exemple des crises réglées, des civils sauvés, des régions qu'elle a aidées à reconstruire ? L'Onu doit recevoir le maximum de moyens pour prévenir et traiter les menaces qui pèsent sur la paix et sur la sécurité internationales. Le Conseil de sécurité a besoin d'être élargi, afin que sa représentativité soit mieux assise et son autorité renforcée, compte tenu de l'évolution du monde depuis 1945. Le champ et les modalités d'intervention des Nations unies en général et du Conseil de sécurité en particulier peuvent encore se développer, pour mieux lutter contre le terrorisme, la prolifération et les crises régionales, notamment en approfondissant la réflexion sur les stratégies de sortie de crise.

Seul le multilatéralisme permettra au monde de colmater les brèches, de ressouder les fragments épars, d'empêcher l'apparition de nouvelles fissures. Il constitue un principe et une méthode indispensables à la résolution des crises parce qu'il aide à produire cette unité plus que jamais nécessaire face aux défis globaux.

Chaque fois que la communauté internationale a agi de concert, elle est parvenue à ses fins. Songeons au démantèlement des installations nucléaires et à l'élimination des stocks chimiques et nucléaires en ex-URSS : conscients du problème posé par l'arsenal que s'était constitué l'ex-Union soviétique, les Etats ont forgé une stratégie commune pour venir à bout de telles menaces. La constitution d'un partenariat global contre la prolifération des armes de destruction massive, dont le G8 a pris l'initiative, offre un exemple de la détermination et de l'efficacité de la communauté internationale lorsqu'elle s'entend sur un objectif à atteindre. Par ailleurs, qui contesterait que, sans une collaboration étroite de tous les Etats, la lutte contre le trafic de drogue est vouée à l'échec ? On ne peut en effet isoler les problèmes économiques et sociaux d'un pays – Afghanistan ou Colombie par exemple – et les intérêts politiques divers – comme le prouve le lien entre guérillas, politiques et trafiquants en Amérique latine. Les routes de la drogue sont sinueuses. Aucun pays ne peut les surveiller seul.

Donner priorité au droit n'équivaut pas à un aveu de faiblesse ni d'impuissance. Il s'agit d'une exigence morale et politique, la condition de la justice et de l'efficacité, hors desquelles aucune sécurité durable n'est garantie. A l'inverse, si le système international continue d'être perçu comme injuste ; si la force l'emporte systématiquement sur le droit ; si l'opinion des peuples n'est pas prise en compte, alors les facteurs de désordre se renforceront, les jeux de puissance se poursuivront inutilement et la manipulation de l'hostilité idéologique envers les démocraties occidentales se développera.

Notre monde

Nous n'avons pas le choix. Attendre, tergiverser, remettre à plus tard les grandes réformes du système international, espérer en vain que les Etats retrouvent leurs marges de manœuvre constituerait la plus grande erreur que nous puissions commettre. L'humanité saura-t-elle saisir enfin la chance qui lui est offerte ou persistera-t-elle dans une voie sans issue ? Nous avons aujourd'hui la possibilité de décider quel avenir nous voulons construire, sur quels principes, avec quelles valeurs et pour quelle fin.

En conclusion des *Principes de la philosophie du droit*, Hegel évoque l'« histoire mondiale » et distingue quatre mondes se succédant comme quatre figures de l'esprit sur le parcours de sa liberté : le monde oriental, le monde grec, le monde romain et le monde germanique, aboutissement et fin de l'histoire. Les mondes de Hegel se succédaient dans le temps ; les mondes qui habitent notre univers se côtoient dans la simultanéité. Ils n'obéissent plus à la même temporalité : ainsi l'histoire continue comme chronique de leurs relations, de leurs affrontements, de leur résistance et de leurs attractions mutuelles, avec leurs cortèges de perversions.

Alors que le temps des découvertes géographiques est depuis longtemps révolu, s'ouvre celui des grands bouleversements planétaires. En moins de deux décennies, la géographie humaine, sociale, économique et culturelle a davantage changé qu'en plusieurs siècles. Aujourd'hui l'avenir ne se joue plus seulement à Londres, Berlin, Paris ou New York. L'Occident n'est plus le seul maître. Les nouveaux pays émergents ne sont pas seulement des puissances économiques qui pourraient se satisfaire d'être admises dans le grand amphithéâtre du marché international. Ils veulent être dotés d'une voix propre, porter des regards différents. Conscients de la rapidité avec laquelle évoluent les rapports de force, les pays qui font aujourd'hui leur entrée sur la scène du monde n'entendent pas marquer une allégeance quelconque à l'égard des puissances traditionnelles. A la faveur de la révolution de la puissance dont ils sont souvent les témoins les plus lucides, les peuples de ces zones à la frontière d'un monde entre deux âges se projettent dans un espace multipolaire. Une nouvelle rose des vents se dessine qui recouvre notre perception ancienne.

A l'Extrême-Orient, à l'extrémité du vaste ensemble eurasien, la Chine constitue un objet de spéculations et de fantasmes. Quel type de puissance incarnera-t-elle à l'apogée du siècle qui s'annonce ? Une grande puissance traditionnelle, reposant sur son poids économique, technologique ou militaire ? Ou un modèle propre, encore en gestation, puisant à d'autres sources que celles du monde occidental ? Elle doit composer en Asie avec un autre géant, l'Inde, deuxième pays le plus peuplé du monde, dont la croissance économique extraordinairement dynamique s'appuie sur une impressionnante stabilité financière. Comme la Chine, elle entend assortir cet essor économique d'un véritable rôle politique international. Le souci d'indépendance s'ancre dans l'histoire du pays, incarné par les figures du Mahatma Gandhi et de Nehru. L'Inde a montré qu'elle comptait maîtriser son destin au cœur d'une mondialisation à laquelle elle prend une part croissante. A l'extrémité du principal arc de crise qui traverse l'Asie, elle trouvera sa place dans un environnement plus stable. Pour l'Inde comme pour les autres puissances émergentes, il ne saurait y avoir de sécurité et de prospérité sans coopération régionale et internationale. L'Afrique du Sud, le Brésil se préparent également à être des pôles de croissance économique et de stabilité. Ils entendent affirmer leur identité. Nombre de pays sont aujourd'hui à la croisée des chemins entre affirmation orgueilleuse et solitaire de leur volonté de puissance, et insertion dans un environnement apaisé. Entre ces deux voies possibles, notre responsabilité est de privilégier celle de la coopération.

Comme une naissance, l'émergence de nouveaux acteurs sur la scène internationale comporte des risques et des interrogations multiples, liés aux incertitudes politiques qui se font jour. A quel rythme la Chine s'acheminera-t-elle vers une libéralisation de son régime politique et vers un respect véritable des droits de l'homme ? L'Inde entend-elle participer à l'organisation régionale de l'Asie du Sud ou prendra-t-elle le chemin de l'hégémonie ? A ces questions, la meilleure réponse est l'action et la responsabilité collectives. Rien ne serait pire qu'un émiettement du système international. Il faut une instance mondiale capable de faire vivre ensemble les peuples, les pays et les régions du monde. D'autant que les risques de collision sont de plus en plus fréquents entre les différents noyaux qui constituent la nouvelle géographie du monde. Il faut les rassembler autour d'une véritable architecture mondiale.

Les vieilles puissances comme l'Europe ou les Etats-Unis ont une responsabilité particulière. Elles ont connu la même volonté d'affirmation et de rayonnement, vécu les mêmes tentations nationalistes et hégémoniques, dont elles connaissent les dérives. Pouvons-nous encore faire confiance à un système international fondé sur l'équilibre des puissances ? Envisageons-nous une nouvelle guerre de Cent Ans à l'échelle planétaire, voulons-nous que des rivalités comme celles qui ont déchiré l'Europe plongent le monde dans des siècles d'affrontements et de crises ? Seul l'avènement d'une véritable démocratie mondiale assurera la paix et la solidarité.

CHAPITRE 7

LE RÊVE EUROPÉEN

L'Europe est notre rêve et notre nouvelle ambition. Etrange spectacle cependant d'une Europe désabusée, sceptique, doutant de tout et d'abord d'elle-même. Plutôt que d'affirmer sa voix indépendante, elle s'abandonne à la division, guette le retour de la croissance sur son territoire. Peut-on, dans ces conditions, parler d'une ambition commune ? A première vue, le rêve européen relève de l'utopie. Durant la crise iraquienne, l'Europe a offert l'image d'un assemblage composite de nations. Elle s'est livrée aux démons des affrontements médiatiques. De petites phrases en déclarations ou publications, elle a renoncé pour un temps à délivrer le message que le monde attend d'elle. Trop d'événements se sont télescopés : l'élargissement de l'Union, ce formidable défi pour notre communauté tout entière ; une crise diplomatique sans précédent ; l'aggravation de la menace terroriste, qui suscite l'inquiétude. Figurations et jeux de rôle l'ont trop souvent emporté sur la réflexion et la concertation.

Aujourd'hui nous avons une occasion unique de retrouver un chemin de fidélité et d'audace. N'oublions pas que cette aventure a commencé au lendemain de la Seconde Guerre mondiale pour prévenir le risque de nouveaux affrontements entre les Etats du continent. Ce n'est pas un hasard si la construction européenne a commencé par le rapprochement des industries française et allemande du charbon et de l'acier, matières premières stratégiques en cas de conflit. Ce n'est pas un hasard non plus si l'Allemagne et la France ont fait avant les autres le choix de la réconciliation. Tout le projet des pères fondateurs vise à transformer les ferments d'opposition en forces de paix.

Pour cela ils ont placé au cœur de leur démarche le respect du droit. Lui seul garantit des arbitrages équitables. Lui seul permet d'éviter les dissensions et d'écarter durablement le retour des guerres qui ont ravagé le sol européen pendant des siècles. L'armature de l'Europe n'est pas dans sa géographie, complexe, sujette à de multiples disputes. Elle est dans son choix révolutionnaire d'une loi de liberté, d'égalité, de justice qui dépasse les souverainetés nationales et ne saurait être remise en cause par personne. La règle se heurte souvent aux réticences des Etats membres, soucieux de préserver leurs intérêts et peu enclins à céder une part de leur souveraineté. Des siècles d'histoire ne s'effacent pas d'un trait de plume. Mais se dessine peu à peu la voie d'une identité commune respectueuse des différences.

Des premiers balbutiements de l'après-guerre à aujourd'hui, que de chemin parcouru ! Sachons rester fidèles à l'ambition première. Défier l'histoire, ses rancœurs et ses remords, écrire une nouvelle page pour les hommes, sans jamais se satisfaire de l'acquis. Alors, après l'élargissement, après la Constitution, faut-il une pause ? S'arrêter équivaudrait à trahir l'essence même de l'Europe, qui ne saurait être un ensemble politique parmi d'autres. Plus que jamais, elle doit retrouver sa vitalité et sa volonté. Le message d'Athènes, de Rome, de Paris, Varsovie ou Berlin nous rappelle que la démocratie a grandi sur notre terre et qu'il faut la faire vivre aujourd'hui à plusieurs.

Un chemin original

Qu'est-ce que l'Europe ? Son territoire reste sujet à controverse. Quelle place pour la Turquie, dont les efforts considérables pour se rapprocher de notre modèle commun, pour accomplir les réformes nécessaires, méritent reconnaissance ? Quelle place pour les pays du Maghreb ou pour la Russie, borne orientale d'une « Europe de l'Atlantique à l'Oural » évoquée par le général de Gaulle ? Comment associer des Etats de tradition centralisée, comme la France, à d'autres où l'autonomie régionale atteint un degré élevé, comme l'Espagne, ou à d'autres encore qui se réclament d'un modèle fédéral comme l'Allemagne ? Comment comparer, en matière de protection sociale, une Europe continentale qui demeure largement fidèle au modèle bismarckien selon lequel la solidarité est prise en charge par l'Etat, et le Royaume-Uni où l'Etat n'offre qu'un très mince filet de protection ? Comment dépasser l'opposition entre une Europe méridionale d'imprégnation catholique et une Europe du Nord d'inspiration calviniste ?

Et pourtant, l'Europe avance. Qui niera le travail accompli en un demi-siècle ? Le partage de leur souveraineté monétaire par les Etats de la zone euro constitue un symbole majeur en même temps qu'un facteur de puissance. La construction de l'Europe économique contribue aussi à transformer, petit à petit, les structures mêmes des Etats membres ; la libéralisation de l'économie française découle ainsi, dans une très large mesure, de l'exigence européenne.

Mais aujourd'hui les regards et les énergies se tournent vers une Europe des esprits, des identités et des projets, qui constitue le point de départ d'une autre Europe. Et pourtant, qu'il est difficile de décrire ce qui rapproche les nations du Vieux Continent ! S'agit-il seulement d'une histoire et d'un héritage, d'une culture et d'un patrimoine artistique, ou encore de mémoire et de blessures communes ? Penser l'Europe, c'est une même manière de voir et de comprendre le monde, c'est le partage d'une même exigence.

Politiquement, l'Europe ne s'est pas encore entièrement éveillée à la conscience d'elle-même. Elle partage cependant un même substrat. L'Europe a l'âme grecque, bien qu'elle trouve à Rome les traces les plus perceptibles de son héritage. Ce n'est pas une âme conquérante et sa leçon pourrait se résumer en détournant la célèbre formule de Protagoras : « L'homme est la mesure de toute chose. »

Rien n'explique mieux l'Europe que cette alchimie forgée dans le creuset de l'histoire. Mais cet héritage, loin d'être un simple legs du passé, continue de vivre en nous à travers heurts et passions mûris au cours des siècles. L'Europe saurait-elle rester fidèle à son identité en se murant dans ses certitudes, elle qui est sans cesse à réinventer ? L'Europe se meut dans une dialectique constamment renouvelée entre la fidélité à l'esprit des sources et le questionnement. Notre continent a connu les invasions et les massacres, les conflits entre les peuples, les guerres civiles et les guerres de Religion, les partages et les restitutions de territoire, la violence et les divisions. Il a traversé les siècles en mêlant incompréhensions réciproques, hostilité et alliance, haine et accueil. Voilà un demi-siècle, il a su encore trouver la voie de la réconciliation. Contre la tentation de l'affrontement, l'Europe a construit avec patience les conditions de son unité. Elle a restauré un ensemble cohérent lézardé de brèches profondes. Le retour douloureux sur sa propre histoire lui a permis d'établir les bases d'un nouvel édifice politique, sans plus craindre d'énoncer ses valeurs communes et les principes moraux autour desquels elle veut se rassembler.

La place accordée à l'Etat constitue la première de ces valeurs aujourd'hui partagées. Les Européens lui font confiance, davantage qu'au marché, pour assurer une redistribution sociale équitable, afin de réduire certaines inégalités. Ils comptent aussi sur l'Etat pour assurer les missions régaliennes de la défense, de la police, des affaires étrangères ou de la justice. La place qui lui est réservée dépend naturellement de la mémoire historique de chaque pays : elle est importante dans le cas de la France, où l'unité a été gagnée peu à peu sur les différentes baronnies ; plus faible dans des pays à l'unité récente, habitués à l'autonomie de leurs régions, comme l'Italie ou l'Allemagne. Mais elle traduit un même penchant pour la sécurité et la stabilité, un même attachement à l'équilibre entre les différentes composantes de la société, le même sens de l'arbitrage par une autorité souveraine et impartiale.

Une deuxième valeur distinctive est la référence critique au rôle de la raison : référence, parce que le siècle des Lumières a su mettre en avant l'importance de la raison dans le gouvernement des hommes et la compréhension du devenir des peuples ; critique, parce que l'expérience européenne repose sur la conscience des risques liés à la croyance aveugle dans les mérites de la technique et du progrès. L'esprit européen est guidé par la dialectique de la raison. Ce qu'il parvient à affirmer par sa démarche méthodique, il lui applique immédiatement le doute et la contradiction. Il interroge la vérité provisoire pour en découvrir une autre, plus solide. La tradition dialectique de la philosophie allemande, l'esprit critique italien ou français, et jusqu'à l'empirisme des penseurs britanniques, procèdent du même mouvement de balancier entre affirmation et doute, qui constate le résultat de la raison pour aussitôt le soumettre à la question, afin que la vérité en sorte affermie.

La troisième des valeurs européennes est sa capacité à intégrer les différences et les oppositions pour les fondre en un socle commun. Qu'il s'agisse du partage entre le séculier et le religieux, de l'organisation de l'Etat, de la place de la société civile dans la conduite du gouvernement, de la concurrence entre la science et la foi, aucun modèle ne l'a emporté sur un autre. Mais leur confrontation a permis l'émergence progressive de règles communes, adaptées aux particularités et à la mémoire de chaque peuple. Elle représente un atout pour notre continent sur la scène internationale : dans un monde où l'échange est devenu la règle, où la diversité est une réalité à laquelle on se trouve chaque jour confronté, l'ouverture à l'altérité favorise la compréhension et l'accueil d'autres civilisations. Là réside en définitive notre richesse fondamentale, dans cette disponibilité permanente aux autres héritages. L'Europe des humanistes de la Renaissance ou des philosophes des Lumières, la grecque, la romaine, la chrétienne ou la celte, constitue une synthèse façonnée dans la douleur et le déchirement. Une synthèse d'autant plus solide que, par de nouveaux apports, elle s'enrichit sans cesse.

L'Europe dans le monde

La chute du mur de Berlin a soulevé une vague d'espoir sans précédent sur notre continent. En quelques mois, des Etats autrefois isolés derrière le rideau de fer ont recouvré leur liberté. Les frontières, naguère à peu près infranchissables, devinrent des traits d'union entre les peuples. Des familles divisées retrouvèrent leurs proches et leurs parents. Les dictatures tombaient, la démocratie s'affirmait. L'unité du continent européen, si longtemps éclaté, était à portée de main. On rappelait les liens historiques entre les pays de l'Ouest et de l'Est. Il semblait que l'amitié des peuples allait aplanir toutes les difficultés que ne manqueraient pas de créer les retrouvailles entre des pays démocratiques développés et leurs voisins économiquement affaiblis et politiquement traumatisés par un demi-siècle de dictature communiste.

L'enthousiasme suscité par cette nouvelle Europe n'a pas toujours reçu l'écho attendu dans nos pays habitués à la paix et à la prospérité. Blasés par un demi-siècle de démocratie européenne, nous aurons parfois mal mesuré à quel point la réconciliation constituait un événement majeur, l'un de ces miracles de l'histoire qui nourrissaient l'espoir de générations entières de dissidents en lutte derrière le rideau de fer. Mais l'euphorie des jeunes démocraties n'allait pas sans appréhension. Très vite, elles ont compris que leur intégration au sein de l'Union serait une œuvre de longue haleine, un parcours semé d'efforts et d'embûches. Parmi les Etats membres, on craignait que les disparités de développement économique n'aient des effets dommageables sur la croissance et sur l'emploi. Auprès d'opinions publiques parfois rétives ou méfiantes, l'ouverture aux anciens pays du bloc soviétique ne s'imposait donc pas comme une priorité. Une forme d'inquiétude réciproque s'était installée entre des peuples pourtant appelés à partager le même destin. La conduite des négociations d'adhésion, avec ses exigences techniques, ses critères de référence, ses rapports d'évaluation, ne fit qu'accentuer l'incompréhension. De l'enthousiasme politique pour l'unification européenne, on était tombé dans la rigidité technocratique de l'élargissement.

Les préventions mutuelles mettront du temps à se dissiper. A l'Ouest, le coût économique de l'élargissement préoccupe et l'on doute de l'efficacité d'une Europe qui ne cesserait de s'agrandir, sans que les nécessaires réformes de procédure soient menées à bien ; la liste des nouveaux candidats laisse entrevoir la perspective d'une Europe toujours plus nombreuse, mais à l'identité toujours plus fragile, et qui pourrait perdre en substance et en profondeur ce qu'elle aurait gagné en étendue. Les souverainistes ont trouvé dans le danger de dilution un argument médiatique capable de ranimer un discours auquel les réussites de l'Union avaient ôté beaucoup de son crédit. Il fait écho aux peurs et aux tentations de repli qu'éprouvent un grand nombre de citoyens.

A l'Est, les craintes des nouveaux membres ne sont pas moins vives : bénéficieront-ils des mêmes aides que les Etats intégrés avant eux ? Leur économie supportera-t-elle le choc de l'intégration ? Parviendront-ils à défendre leur jeune identité nationale dans le vaste ensemble européen ? Quelle est d'ailleurs la réalité politique de cet ensemble ? Quelles réponses est-il en mesure d'apporter aux grands défis de sécurité de notre temps ? Quelle crédibilité accorder aux efforts pour construire une politique européenne de sécurité et de défense autonome ? Quelle place sera réservée à la Russie ? Autant de questions légitimes, qui appellent des réponses argumentées et concrètes.

La façon dont ces pays de l'ancien bloc communiste ont réagi à leur entrée dans l'Otan témoigne de l'importance qu'ils attachent à la garantie de sécurité américaine. Il faut remonter plus loin pour comprendre les racines de cet attachement : pour beaucoup des pays d'Europe de l'Est, les Etats-Unis offrent un modèle en matière d'indépendance et d'émancipation politique. La référence au système libéral et à l'histoire américaine est venue recouvrir les traces laissées par la Révolution française ou le Printemps des peuples. Les mouvements migratoires d'Europe de l'Est vers les Etats-Unis des années 1880 aux années 1930 ont donné consistance à une autre terre promise que l'Europe. Les partages territoriaux, les expériences politiques en ont exacerbé la valeur. Même revenue dans la famille européenne, cette concurrence d'idéal reste vivace chez eux.

Et pourtant pour les pays de l'Est, l'Europe n'est plus un espoir, une utopie, mais bien leur famille politique. Leur avenir et leur destin se jouent d'abord à l'intérieur de ces nouvelles frontières. Il nous appartient d'entretenir ensemble une ambition d'unité que nous mûrissons depuis longtemps. Ce projet ne peut faire abstraction de notre environnement immédiat, à commencer par notre voisin oriental, la Russie, dont l'Union européenne est aujourd'hui le principal partenaire commercial. Ces enjeux économiques se doublent d'une réalité géographique : la Russie constitue désormais l'étranger proche de l'Union européenne. Nos intérêts de sécurité sont de plus en plus étroitement liés, qu'il s'agisse du terrorisme, des crises régionales ou de la prolifération des armes de destruction massive. Moscou n'est plus seulement « la ville des mille et trois clochers et des sept gares » dont rêvait Cendrars, mais une capitale voisine en prise directe avec la vie continentale.

Le regard tourné vers la Méditerranée, Salah Stétié rappelle que « l'Europe se fera aussi par le Sud ». Au fil des siècles, elle y a puisé une large part de sa richesse. Ces échanges entre les deux rives du *mare nostrum* se poursuivent aujourd'hui. Leurs destins sont liés. N'oublions pas que le nom de l'Europe est celui d'une jeune princesse de Tyr, en Phénicie, enlevée par Zeus. Aujourd'hui, notre fidélité à cette origine mythologique passe par la conscience du rôle particulier de l'Europe vis-à-vis des pays du sud de la Méditerranée. Nous voulons traduire dans la réalité les songes que nos peuples portent depuis des siècles dans leur cœur. La proximité entre l'Europe et la Méditerranée constitue un fait géographique pour une partie des Etats membres de l'Union. Mais pour une partie seulement. Elle ne concerne l'Union dans son ensemble qu'à travers le réseau de correspondances, de récits, de voyages, de mythes qui ont irrigué notre culture depuis des siècles. Elle résulte donc d'abord d'une volonté politique et culturelle, qui donne à l'Europe à la fois une profondeur historique hors du commun et la capacité de se projeter dans l'avenir.

Sur ce terreau favorable, l'Union européenne a bâti des relations durables avec les pays des rives de la Méditerranée. Le choix initial a été calqué sur celui de la construction européenne : l'économie. Des années 1950 aux années 1970, la Communauté économique européenne a multiplié les accords de partenariat économique avec les pays méditerranéens. Ces accords pouvaient parfois manquer d'ambition et d'ampleur, mais ils constituaient un noyau dur d'échanges dont la régularité et l'homogénéité ont assuré la crédibilité de la construction européenne dans les Etats riverains de la Méditerranée. Puis, à partir des années 1990, la perception de l'espace méditerranéen en Europe s'est modifiée en profondeur. Les pays riverains, longtemps perçus comme sources potentielles d'échanges économiques, sont brusquement apparus comme une menace pour la sécurité de l'Union. La crise iraquienne, les risques de prolifération dans la région, le maintien d'un niveau de tension élevé ont contribué à une réévaluation rapide des enjeux. L'essentiel devenait la maîtrise de l'environnement stratégique méditerranéen. Après la chute du mur de Berlin et en l'absence d'un système global de sécurité, il fallait apporter à cette région des garanties de stabilité et de sécurité. Cette ambition, plus vaste que le projet européen initial, répond à un besoin ancien éprouvé dans tout le pourtour méditerranéen : accroître les échanges, multiplier les liens en apaisant les rivalités. La Méditerranée, ce sont à la fois les vaisseaux chargés de marchandises qui gagnent les ports d'Alexandrie, de Venise, du Pirée ou de Gênes, et les contraintes, pressions militaires ou menaces qui s'exercent sur les républiques indépendantes. Le partenariat euro-méditerranéen, lancé par la déclaration de Barcelone, scelle la communauté de destin entre les deux rives.

Riche de tant de mains tendues, comment l'Europe pourrait-elle renoncer à sa vocation mondiale ? Certains voudraient la réduire à un simple grand marché intérieur, incapable d'accomplir son destin politique et encore moins d'exercer une quelconque influence stratégique dans le monde. Elle n'aurait pas les moyens de jouer un rôle de premier plan sur la scène internationale. Et encore moins la volonté. Cette thèse voit dans la faiblesse de l'outil militaire de l'Europe la preuve de son renoncement à la puissance. Se conjugueraient ainsi des facteurs historiques de poids : la saignée de la Grande Guerre, le traumatisme du génocide, le mouvement de décolonisation après la Seconde Guerre mondiale, le syndrome de dépendance né de la guerre froide et de l'entrée dans l'ère nucléaire. Ensemble pacifique, refusant l'emploi de la force et les contraintes budgétaires qui en découlent, l'Europe s'opposerait aux Etats-Unis, disposés en toute occasion à assumer leurs responsabilités de grande puissance.

Il s'agit là d'une vision dépassée. Il est exact que notre continent a vécu pendant presque cinquante ans dans la confortable certitude de la sécurité que lui offraient l'Otan et les bases américaines réparties sur son sol. On se souviendra d'ailleurs que les initiatives d'indépendance du général de Gaulle comme celles du chancelier Willy Brandt, avaient été largement critiquées et perçues comme la marque d'une profonde ingratitude vis-à-vis des Etats-Unis. Mais l'Europe est sortie du carcan de la guerre froide. Cette prise de conscience a électrisé tout le continent dans ces années historiques qui, de la chute du mur de Berlin au début de la guerre des Balkans, nous projetèrent dans un nouvel âge.

Aujourd'hui nous reconnaissons de plus en plus la nécessité d'une Europe forte sur le plan militaire et diplomatique. La vision d'une Europe qui se complairait dans sa faiblesse et son impuissance, sans pour autant se priver de donner des leçons, ne correspond tout simplement pas à la réalité. Les Etats membres de l'Union ne sont pas ces pacifistes forcenés, résolument hostiles à une augmentation de leur budget de défense. Certes, les efforts ne sont pas partagés par tous. Ils ont besoin d'être poursuivis et étendus à d'autres Etats membres. Mais ils témoignent d'une prise de conscience progressive et de l'ouverture d'un véritable débat sur la nécessaire augmentation des dépenses militaires des pays de l'Union.

Celle-ci, par ailleurs, ne cesse de marquer davantage sa disponibilité à assurer des opérations de maintien de la paix ou de rétablissement de l'ordre en dehors de ses frontières. Ainsi en 1995, les pays européens, et en premier lieu la France, ont convaincu les Etats-Unis initialement réticents à s'engager dans les Balkans à la suite des massacres perpétrés à Srebrenica. En Afrique également, sans parler de la participation française en Côte-d'Ivoire, ou britannique en Sierra Leone, l'Union européenne est prête à prendre ses responsabilités : le lancement de l'opération Artémis en République démocratique du Congo, en Ituri, témoigne de sa détermination à rétablir l'ordre dans des régions où les violences s'exercent d'abord contre les populations civiles.

De même, la thèse qui ferait des Etats-Unis une puissance entièrement tournée vers la force s'avère caricaturale. Au cours de l'histoire récente l'emploi de la puissance militaire a fait l'objet de débats intenses au sein de la société américaine. Le retrait américain du Viêt-nam, la doctrine du secrétaire à la Défense Weinberger, réclamant le soutien massif de la population avant toute décision d'envoyer des troupes sur un théâtre d'opérations extérieur, l'échec somalien, les réticences à appuyer une intervention militaire en Bosnie sont autant de témoignages des hésitations américaines à s'impliquer dans des opérations militaires de grande envergure. Non, les Etats-Unis ne sont pas ce pays hobbesien voulu par les néo-conservateurs, plaidant sans cesse pour le recours à la force. Non, l'Europe n'est pas ce contre-modèle pacifiste que certains se plaisent à décrire.

A ce manichéisme simplificateur et erroné il faut opposer la vérité des faits. La vision européenne du monde et de la place que notre continent doit y occuper a changé. L'Europe a compris qu'il lui fallait prendre en main son destin pour assurer sa propre sécurité et pour être à la hauteur des espoirs placés en elle. Pour autant, nous devons mesurer les obstacles qui se dressent sur le chemin d'une Europe puissante.

Le premier obstacle est autant l'insuffisance du budget militaire européen que son manque d'efficacité : les résultats que les pays européens obtiennent en matière de défense sont insuffisants au regard des sommes engagées. L'investissement est éparpillé sur trop de forces, alors que celui des Etats-Unis se concentre sur des armées dont les unités agissent de manière parfaitement coordonnée. Les pays européens doivent donc en priorité chercher à regrouper leurs forces, évaluer ensemble les menaces, définir les besoins et y répondre par des programmes communs.

Un deuxième obstacle provient du processus de décision complexe qui régit l'organisation des pouvoirs au sein de l'Union. Tant que les procédures n'auront pas été simplifiées, tant que davantage de lisibilité n'aura pas été introduit dans les mécanismes institutionnels, l'Europe ne parviendra pas à s'imposer en tant qu'acteur à part entière sur la scène internationale.

Le dernier obstacle, et sans doute le plus important, réside dans l'incapacité de l'Union à affirmer son ambition stratégique, alors même qu'elle vient de se doter d'une doctrine commune pour la première fois de son histoire. Mais comment ne pas s'étonner qu'avec la gamme de moyens, notamment militaires, dont ils disposent, leur pouvoir économique déterminant, des valeurs à défendre, un rayonnement culturel incontestable, les Etats membres de l'Union ne se donnent pas les moyens d'exercer davantage d'influence sur la gestion des affaires politiques du monde ? Comment ne pas voir les conséquences d'un élargissement qui ne cesse de nous rapprocher des zones de crises les plus sensibles de la planète ? Ainsi l'intégration de la Turquie nous donnerait une frontière commune avec la Syrie, l'Iraq et l'Iran. Des progrès timides sont perceptibles, mais trop de réticences entravent encore le développement de ces premiers efforts. Trop de préventions, d'inquiétudes, de différends entre Etats bloquent l'émergence d'une Europe confiante et capable d'exercer toutes ses responsabilités.

Nous devons pourtant répondre aux attentes des citoyens, qui demandent à l'Union européenne des résultats tangibles en matière de sécurité. Les progrès majeurs accomplis dans le domaine de la défense depuis le sommet franco-britannique de Saint-Malo de 1998 et les différents Conseils européens définissant les missions de l'Union, ses relations avec l'Otan, ses objectifs en termes de capacité d'intervention militaire sur des théâtres extérieurs, ont tous été salués par l'opinion publique. Aujourd'hui, alors que les menaces se multiplient, il faut que les Etats membres soient en mesure d'apporter de nouvelles réponses et de dégager des champs de coopération. Nous devons en prendre conscience : nous appartenons à un même espace de sécurité.

Il n'est pas question de renouer avec les rêves d'empire et d'hégémonie qui ont causé la perte de notre continent. Il s'agit pour l'Europe d'exercer la responsabilité qui lui revient, due à son poids géographique, économique et culturel. Il s'agit de mettre au service du monde sa vocation à être l'un des principaux pôles de paix et de stabilité de la planète. Qui croirait que la politique européenne de sécurité et de défense se définit contre un Etat ou contre une organisation ? Toutes les avancées majeures dans ce domaine ont été accomplies en bonne intelligence avec l'Otan. Elles sont complémentaires des ambitions de réforme de l'Alliance. Plus que jamais, le monde a besoin de plusieurs pôles de stabilité. L'Union européenne a le devoir et la vocation d'être l'un d'eux.

Cela pose d'emblée la question des rapports entre l'Europe et les Etats-Unis. Nous savons que nous ne parviendrons pas à répondre aux menaces contemporaines sans un partenariat efficace et confiant entre les deux rives de l'Atlantique. Nous savons que de la bonne entente entre l'Europe et les Etats-Unis dépend largement la stabilité internationale. Nous savons aussi que nos valeurs et nos convictions sont trop proches pour qu'une mésentente ne soit pas surmontable.

Une analyse sereine doit d'abord se fonder sur les leçons de l'histoire. Interrogeons notre mémoire commune pour dégager les voies de l'avenir. Un mot résume la complexité et la force du lien entre la France et les Etats-Unis : indépendance. Indépendance pour laquelle la France s'est battue au côté des troupes américaines sous le drapeau de La Fayette. Indépendance, l'acte de naissance des Etats-Unis signé en 1776 à Philadelphie et inspiré des philosophes des Lumières. Indépendance, le courage héroïque manifesté par les troupes américaines débarquant en 1917, puis en Normandie le 6 juin 1944 pour libérer la France de l'occupant allemand. Ce mot témoigne de la pérennité et de la profondeur de nos rapports. Seuls des amis de longue date peuvent se permettre de rester liés par ce qui sépare, assemblés par ce qui distingue.

L'indépendance a pourtant nourri bien des malentendus. Le 4 juillet 1962, le président Kennedy proposait à l'Europe une alliance transatlantique renforcée, reposant sur un partenariat entre l'Europe et les Etats-Unis. Cette proposition trouva un écho auprès de nos partenaires européens, mais elle fut rejetée par le général de Gaulle, conformément à la politique qu'il avait défendue depuis son retour au pouvoir en 1958. Le raisonnement du chef de l'Etat français était fondé sur des considérations simples : en premier lieu, une association concrète entre les Etats-Unis et l'Europe tournerait à l'avantage des premiers, en raison du déséquilibre de puissance croissant entre les deux ensembles ; ensuite, l'évolution de la situation stratégique internationale conduirait nécessairement à une bipolarisation toujours plus forte, qui amènerait les Européens à renoncer à leur marge de manœuvre pour s'aligner systématiquement sur les positions américaines ; en dernier lieu, cet alignement conduirait la France et d'autres Etats européens à se retrouver engagés dans des conflits lointains, étrangers à la défense de leurs intérêts de sécurité.

Cette proposition rejetée, le général de Gaulle développa les moyens de l'indépendance française, notamment dans le domaine militaire. La volonté de nous doter d'une arme nucléaire autonome en fut l'effet le plus éclatant. Dans un contexte marqué par l'accroissement rapide d'arsenaux tactiques et stratégiques russes et américains, ce geste signifiait clairement la détermination de notre pays à répondre sans entrave à la menace d'une attaque touchant ses intérêts vitaux. Il fut d'ailleurs perçu de manière très négative par les autorités américaines, qui proposaient de leur côté que les Européens et les Américains unissent leurs efforts dans une force multilatérale, dont le commandement serait naturellement confié aux Etats-Unis.

D'autres nations européennes entretiennent des liens étroits avec les Etats-Unis, mais à travers une relation de protection plus que dans le partage d'un même esprit d'indépendance. Là encore il s'agit de liens travaillés et façonnés par l'histoire, par la mémoire des peuples et les drames du XXe siècle. Pour s'en tenir à l'Allemagne et au Royaume-Uni, on observera que chacun de ces deux pays a forgé une relation distincte et originale avec Washington. L'Allemagne se souvient toujours que les Etats-Unis ont joué un rôle décisif dans le renversement du régime nazi, établi les conditions d'une nouvelle démocratie et donné des assurances de sécurité contre l'Union soviétique durant la guerre froide. Le lien transatlantique est donc vécu outre-Rhin comme un impératif de sécurité et un témoignage de reconnaissance morale.

Loin d'être pour autant figée, cette réalité est traversée de courants contradictoires. L'un des plus anciens et des plus significatifs est le courant pacifiste qui, de la crise des euromissiles à la contestation des bases militaires américaines en Allemagne, s'oppose à toute aventure militaire.

Un autre courant existe, qui tempère le pacifisme allemand et affecte la nature de la relation entre Washington et Berlin. Pour la première fois dans son histoire récente, l'Allemagne s'affirme comme une puissance politique, capable de défendre ses positions de manière autonome et d'employer des moyens militaires pour leur donner toute leur crédibilité. L'Allemagne n'est plus ce pays dont il faut contenir le réarmement, et qu'il convient de tenir en respect dans le cadre de l'Otan. Elle s'apprête au contraire à participer pleinement à l'élaboration et à la mise en œuvre d'un nouvel ordre international. Le géant économique brise peu à peu ses entraves politiques. Sa place en Europe comme ses relations avec les Etats-Unis s'en trouvent naturellement modifiées.

Le Royaume-Uni, pour sa part, se trouve lié aux Etats-Unis par une histoire séculaire, qui remonte aux origines mêmes de la nation américaine. Seule cette mémoire commune permet de comprendre la fameuse remarque faite par Churchill à de Gaulle quelques jours avant le débarquement de Normandie : « Sachez-le, chaque fois qu'il nous faudra choisir entre l'Europe et le grand large, nous choisirons le grand large. » Pour autant, ici encore, la réalité est plus complexe. Des tendances lourdes existent. Elles ne remettent pas en cause la relation privilégiée entre Londres et Washington, mais en transforment les modalités et la substance. Car le Royaume-Uni a fait le choix de l'Europe. Il garde de fortes réserves, des préventions et ne s'est pas engagé complètement, comme en témoigne sa décision de demeurer pour l'instant à l'écart de la zone euro. Mais il n'en est pas moins devenu l'un des membres clés de l'Union européenne. Les autorités britanniques se trouvent aujourd'hui confrontées à un choix décisif. Elles savent qu'elles ne peuvent se réfugier dans le *statu quo*. L'Europe avance. Elle se renforce chaque jour. Des décisions nouvelles sont prises, des initiatives voient le jour. Chacun souhaite que le Royaume-Uni s'engage davantage dans la construction d'une Europe de la défense, d'une Europe monétaire, d'une Europe politique, pour y prendre toute sa place.

L'histoire qui lie les Etats-Unis et l'Europe est une histoire charnelle. Elle a connu des crises, des tensions, des incompréhensions. Mais elle repose sur un socle solide : la défense de la liberté et le respect de la démocratie. Faut-il énumérer les circonstances historiques qui nous ont rapprochés ? Faut-il rappeler la mutation profonde qui s'est engagée au sein de l'Otan, destinée à garantir la pérennité de cette alliance ? Notre projet transatlantique repose sur une vision équilibrée des rapports entre Etats. L'Europe et les Etats-Unis doivent coopérer en partenaires égaux. A cet égard, le discours du président Kennedy à Philadelphie garde toute sa pertinence. L'Europe n'est pas pour les Etats-Unis un partenaire comme les autres. Elle est destinée à demeurer un allié privilégié, solide et exigeant, capable de soutenir comme de critiquer.

Nous le savons : une Europe affaiblie, sans conviction ni projet stratégique, sans capacité militaire ni poids économique, ne susciterait que le désintérêt de nos cousins d'outre-Atlantique. Si nous voulons un partenariat d'égal à égal, il nous faut les moyens de le construire et de le réussir. C'est une exigence vitale : prendre au sérieux les menaces contemporaines, les étudier ensemble, définir des réponses coordonnées, répondre aux défis de santé publique de notre temps, traiter les problèmes d'équilibre et de développement, voilà les tâches que doit s'assigner l'Europe si elle souhaite donner au lien transatlantique la vitalité nécessaire. Nous ne serons des partenaires égaux qu'à force d'ambition européenne.

Quant aux Etats-Unis, il leur revient de poursuivre la voie tracée depuis cinquante ans dans leurs relations avec l'Europe : celle du respect des exigences multilatérales, de l'écoute et du dialogue.

Le creuset européen

L'élargissement de l'Europe le 1er mai 2004 consacre la fin d'une époque pendant laquelle notre continent s'est cherché. Il met un terme à la période ouverte par l'après 1945. Il faut voir à Berlin et ailleurs les traces encore vivantes de cette déchirure contre nature, qui du jour au lendemain sépara des familles, des peuples et des sociétés entières. Mais sous la chape de plomb de la guerre froide, l'Europe a continué de respirer. N'oublions pas que, grâce aux efforts entamés par Jean Monnet et Robert Schuman, notre continent a traversé cette période sans perdre son identité ni son aspiration à l'unité. Souvenons-nous du courage des dissidents tchèques, hongrois et polonais qui, par leur résistance, ont fait vivre l'esprit européen dans ce qu'il a de meilleur. Ces exemples sont là pour nous aider à surmonter les doutes et les hésitations.

L'Europe est le fruit de l'utopie et du pragmatisme. Lorsqu'il fallut, au lendemain de la Seconde Guerre mondiale, reconstruire un continent en ruine, vaincus et vainqueurs eurent – sans peut-être le réaliser pleinement – l'intuition profonde de ne pas signer de traité de paix. Ceux qui avaient été conclus à la suite des guerres précédentes, à commencer par les plus récents, ceux de Versailles, de Saint-Germain ou de Trianon, avaient toujours porté en eux les germes des guerres futures, parce qu'ils avaient été dictés par un désir de vengeance, sans considération pour les vaincus. En l'absence de tout traité à l'issue de la Seconde Guerre mondiale, l'espace européen restait libre et prêt à une autre expérience.

Sur cette page vierge, où il fallait cependant écrire la paix, les Européens ont dessiné un plan inédit selon lequel le resserrement des liens entre les Etats engagés dans un processus permanent de négociation et d'arbitrage rendrait tout simplement la guerre inimaginable. L'Europe a cherché l'utopie de la paix perpétuelle dans l'invention et l'adaptation constantes ; elle a dirigé le mouvement en marchant, sans vaste projet ni grand dessein, sinon celui de ne pas renouveler les horreurs de l'histoire.

Rien d'étonnant, dès lors, que l'économie, domaine d'élection du pragmatisme, ait été le champ privilégié d'expérimentation de cette méthode. La progression spectaculaire de la construction européenne depuis les années 1980 est le résultat d'une double motivation : celle des entreprises désireuses de se constituer un vaste marché domestique équivalent à celui des Etats-Unis ; mais aussi celle des technocrates, pour qui l'Europe a été à la fois le moyen de reconquérir une partie du terrain perdu par l'Etat-nation et d'imposer d'en haut à des démocraties nationales souvent bloquées des réformes douloureuses mais indispensables. Dans ces conditions, elle est apparue aux yeux de certains comme une simple alliance de circonstance, sans idéal ni élan, vouée à être dominée par l'administration bruxelloise et les grandes firmes, organisées en puissants *lobbies*. Pourtant, une telle analyse masque l'essentiel. L'Europe dépasse de loin la simple coalition de puissances gouvernées par leurs intérêts, même si elle en donne parfois l'image.

Projet révolutionnaire, l'Europe semble aujourd'hui en proie au doute. C'est ce qui inquiète tant les Européens et les plus convaincus de leurs hommes politiques. Combien de temps tiendra une Europe privée de l'esprit qui l'a toujours animée ? Vers où risque-t-on de voir dériver un continent qui a perdu la fidélité à son impulsion initiale ? Le désenchantement même des citoyens, que les échéances électorales européennes laissent indifférents, témoigne en creux des espoirs qu'ils placent dans une Europe vivante, tournée vers l'avenir. Pour sortir de l'ornière il faut, de toute évidence, une volonté politique, appuyée sur l'incroyable capacité d'adaptation dont l'Europe a fait preuve depuis ses origines. Rien de plus hasardeux, en effet, que ce pari, tant il est vrai que la cohésion constitue un véritable défi au déterminisme géopolitique, après des siècles de fractures et d'oppositions. Dans la volonté de mettre un terme aux tragédies du passé l'Europe a trouvé la force de se relever. Cette volonté doit la pousser aujourd'hui sur des chemins nouveaux, qu'elle défriche pour les autres peuples, contribuant à inventer les voies du nouveau monde.

En conjuguant unité et diversité, la méthode communautaire rejoint le sens profond de la construction européenne : la capacité à faire dialoguer l'identité et l'universel, à unir des Etats souverains dans un ensemble qui les dépasse, à rendre actives les différences pour en faire le ferment de l'unité. Cet enjeu est aussi celui du monde : établir la paix dans un environnement de divisions d'où pourrait trop aisément surgir la guerre ; assurer le développement et la prospérité économiques ; redonner à la politique des marges de manœuvre là où les Etats-nations démocratiques sont dépossédés d'une partie de leurs prérogatives par l'abaissement des frontières, l'internationalisation des économies et des sociétés. Pour l'Europe, l'Union constitue le nouvel horizon, le respect des différences en est le socle, le droit en est le ciment et le dialogue le moteur. Poursuivant le rêve de Grotius ou de Kant, les Européens, fidèles à leur héritage humaniste, proposent ainsi un modèle augural pour le monde.

Cette vocation se trouve au cœur même du projet européen : « Une Europe fédérée est indispensable à la sécurité et à la paix du monde libre, affirmait Jean Monnet. Aussi longtemps que l'Europe restera morcelée, elle restera faible, et sera une source constante de conflits. » Progressivement, elle se hisse à la hauteur de ses responsabilités. Elle porte l'idée d'une gouvernance mondiale dans les domaines de l'économie ou de l'environnement, en même temps que l'idée de sécurité collective et de coopération entre les Etats. Sous les formes les mieux adaptées, l'Europe mène le combat pour le développement aux avant-postes.

L'Europe a constamment besoin de se dépasser, de trouver dans un idéal les forces qui l'arracheront à la complexité de sa tâche. Elle a besoin de perspective et de vision. Dans la conscience de son rôle mondial, de l'exemple qu'elle constitue pour réussir la construction d'un nouvel ordre international elle saura trouver l'une et l'autre. Relever le défi de l'élargissement offre aujourd'hui le moyen de redonner foi et enthousiasme à l'Europe. La nouvelle constitution européenne portée par la détermination de Valéry Giscard d'Estaing fait lever l'espoir d'un « patriotisme constitutionnel » tel que l'envisage Jürgen Habermas.

Mais plus qu'un modèle, l'Europe apporte une conscience au monde. Une conscience qui n'est pas seulement, comme certains l'en taxent parfois, une bonne conscience satisfaite, prétentieuse et arrogante, mais plutôt une conscience inquiète, en proie au doute, toujours en quête d'ailleurs. L'Europe a découvert dans son histoire récente la magie des différences créatrices, les vertus de la confrontation des cultures et le sens du dialogue. Mais elle n'a pas oublié que son histoire est également jalonnée de conquêtes et d'oppressions. Ce souvenir nous laisse au cœur une irréparable meurtrissure. Nous avons légué au monde la conscience du temps, le sens de l'histoire et le concept de progrès, nous lui avons aussi insufflé ce démon anthropocentrique qui a dévasté la planète, ce sentiment de domination, et cette *hubris* démoniaque qui a réduit des peuples en esclavage, détruit des cultures et piétiné l'altérité.

Cette culpabilité-là, l'Europe la porte seule : ce sentiment de la faute la guide sur les chemins qu'elle doit aujourd'hui parcourir. Il lui impose une exigence de respect, de tolérance, d'humilité. Parce qu'elle a commis l'irréparable, l'Europe a aujourd'hui à cœur de partager le meilleur de son héritage. Elle veut l'offrir au monde. Elle n'a plus la prétention de le dominer, de lui imposer sa manière de produire, son idéologie, sa religion ou sa culture.

Le défi de l'Europe, aujourd'hui, c'est d'être fidèle à ses valeurs. C'est de s'appliquer à elle-même le plus haut degré d'exigence, sans tolérer la moindre compromission, au motif que les autres s'accordent de semblables libertés. C'est, selon la formule de Václav Havel, de « porter humblement et sans ostentation la croix de ce monde, suivant l'exemple de celui en qui elle croit depuis deux millénaires et au nom de qui elle a aussi commis tant de mal ». En cela, l'Europe sera à la hauteur de son héritage humaniste. Elle apportera au monde le meilleur d'elle-même.

Mais le défi est aussi celui de l'audace. La gestion d'un grand marché ou de politiques sectorielles ne saurait constituer son seul horizon. Pour être elle-même, l'Europe doit garder l'esprit pionnier, qui rassemble tous ceux qui le veulent pour aller plus loin, pour innover et mieux servir nos concitoyens dans tous les domaines de la vie quotidienne où elle est attendue : une Europe de l'éducation, des universités et de la recherche ; une Europe de la sécurité et de la justice, face aux grands trafics, à l'immigration irrégulière, au terrorisme ; une Europe sociale, fiscale, des droits de l'homme et de la coopération... La France et l'Allemagne ont montré le chemin avec constance et détermination : de Gaulle et Adenauer, Valéry Giscard d'Estaing et Helmut Schmidt, François Mitterrand et Helmut Kohl, et aujourd'hui Jacques Chirac et Gerhard Schröder. L'esprit de cette relation est chaque jour plus vivant. Je me souviens de ce dîner au palais de l'Elysée à l'automne 2002. Tout paraissait bloqué : l'élargissement, la politique agricole, la candidature de la Turquie, le projet institutionnel. Soudain le Président déclara au Chancelier : « Gerhard, la France a fait un choix il y a bien longtemps, le choix de l'Europe, et ce choix nous l'avons fait ensemble. Nous ne pouvons pas nous satisfaire, ni l'un ni l'autre, de négociations ou de compromis à l'arraché. Un bon accord pour nos deux pays, c'est celui où chacun d'entre nous fait la moitié du chemin au service de l'Europe. » Je repensais à ces paroles durant la longue accolade que se donnèrent les deux hommes au Mémorial de Caen à l'occasion du soixantième anniversaire du Débarquement de Normandie. Dans ce geste est scellé notre destin commun.

Le destin français

Et la France, dans tout cela ? Qu'en est-il de la liberté, de l'égalité, de la fraternité ? Nos idéaux n'ont-ils pas changé de cœur et de peau, travestis de déceptions, de peurs et de compromissions ? Au milieu d'un tourbillon d'inquiétudes et d'espoirs, nous semblons hésiter entre repli et sursaut. Notre pays n'est pas à l'abri des changements et des transformations, au contraire. Il vit au plus profond de sa chair le passage à un âge nouveau et le vertige de la modernité. Il a toujours été tissé des influences qu'il subit de l'extérieur, des liens qui se nouent sur ses frontières et des flux qui le traversent.

Ouverte, au carrefour de plusieurs cultures, la France n'en ressent que plus intensément les vibrations du monde. Qu'il s'agisse des courants avant-gardistes de la culture nord-américaine ou des sursauts d'orgueil et de solidarité d'Amérique du Sud, tout se passe comme si l'Atlantique se rétrécissait sans cesse, pour nous confronter presque en temps réel aux grandes évolutions du Nouveau Monde. Avec l'élargissement de l'Europe, jamais les pays de l'Est n'ont paru si proches. Ces vastes métropoles que sont Prague, Budapest et Varsovie, porteuses de pans entiers de la culture européenne, nous éblouissent déjà de leur enthousiasme et de leur vitalité, tout en nous contraignant à mobiliser notre énergie et nos ressources. Du même coup, une partie du monde naguère occultée par le rideau de fer, puis par la guerre dans les Balkans, s'affirme comme voisine privilégiée de l'Europe. Déjà la Croatie, la Roumanie et la Bulgarie revendiquent, comme la Turquie, leur droit à rejoindre la famille européenne. Plus loin, nous redécouvrons ces grandes nations méconnues que sont la Biélorussie, l'Ukraine, la Géorgie et la Moldavie. Avec tous ces pays la France entretient des liens historiques et culturels profonds, avec eux elle construit l'architecture d'un continent plus stable et plus généreux. Avec la Russie enfin, une grande amitié peut se nouer, à la hauteur de nos relations passées et des blessures que l'histoire nous a infligées.

Au Sud, notre pays se fait passeur vers le Maghreb et vers le grand continent noir. Accueillant, grâce à ses citoyens issus de l'immigration, une culture nouvelle, riche et vivante, il s'ouvre au talent et à l'énergie d'une nouvelle génération créative et ambitieuse. D'Afrique nous parviennent à la fois les résonances de notre propre langue, de notre propre histoire et de notre propre culture, et les accents d'identités marquées, en pleine élaboration. La plupart des immigrés venus en France à la recherche d'une vie meilleure sont issus de ce Grand Sud. Même si elle constitue un enjeu social, culturel et humain complexe, la question de l'immigration nous pousse à repenser notre pacte citoyen, les fondements de l'identité républicaine, et notre projet de société. Au-delà de ces courants et marées auxquels l'exposent ses frontières immédiates, notre pays vibre au rythme de l'Asie, dont l'énergie et la vitalité sont perceptibles à Paris comme ailleurs.

Pays ouvert, donc, que cette France dont on croit trop souvent qu'elle veut vivre en bastion isolé, dernier refuge d'un art de vivre désuet, irréductible et imprenable citadelle où régneraient le passé et la nostalgie. Mais pays inquiet face aux bouleversements du monde, face aux nouvelles menaces, face à la crise de la modernité. Dans une Europe en pleine refondation, la France hésite à occuper la place qui lui revient. Pourtant l'Europe est au cœur de l'identité française et de son projet collectif. Grâce à elle nous avons vécu les heures les plus lumineuses de notre histoire récente. C'est à travers elle que la France a renoué avec l'utopie et la prospérité. Grâce à l'Europe la France rayonne à travers des pays avides de culture et d'universalisme. Grâce à l'Europe, nos entreprises ont élargi leurs marchés, multiplié leurs investissements, et mis en place de grands ensembles industriels qui font leurs preuves jour après jour. Grâce à l'Europe nous avons également approfondi notre compréhension des sociétés voisines.

Confusément, les craintes entourant l'avenir de l'Europe rejoignent celles, plus récentes, suscitées par le rythme effréné de la mondialisation. Si notre pays profite largement des étapes nouvelles, il n'en éprouve pas moins l'amer sentiment de perdre chaque jour un peu plus la maîtrise de son destin, au profit de multinationales et de réseaux. Les associations françaises ont d'ailleurs pris une large place au sein du mouvement altermondialiste. Outre l'évidente réduction des marges de manœuvre politiques qui découle de la mondialisation, c'est surtout la temporalité nouvelle qu'elle implique qui nous perturbe. Comment s'approprier la fluidité de l'instantané dans un pays où le temps est fait d'épaisseur et de densité ? Comment s'accommoder de l'uniformisation alors que nous avons toujours porté haut notre héritage de diversité ?

Les tensions de la société française révèlent l'ampleur de la question. Traversée par de nombreuses fractures, elle doit être attentive à tout ressentiment, à la méfiance et à l'incompréhension. Le cloisonnement guette, le communautarisme fait son apparition dans un pays fondé sur une idée différente de la citoyenneté – une citoyenneté dans laquelle l'appartenance commune à la même nation l'emporte sur toutes les caractéristiques individuelles, sans pour autant les nier. N'oublions pas la leçon de Rousseau : notre pays est fait d'individus qui consentent à mettre en commun une part d'eux-mêmes, une part de leur héritage, de leur culture, pour élaborer un ensemble original et unique. En France, l'individu est d'autant plus fort qu'il accepte de renoncer à une partie de sa force, d'autant plus raisonnable qu'il met sa raison au service de l'intérêt général et de la République. Mais aujourd'hui cet idéal est à l'épreuve, notre volonté de vivre ensemble en question. Comment, dans ces conditions, garantir notre pacte national ?

Ces questions traduisent une insatisfaction et une impatience françaises. Sans doute parce que la France est un pays de principes forts. Ou parce qu'une histoire riche et unique nous a donné la conviction qu'il n'y avait pas pour nous d'autre destin que la gloire ou la chute. L'esprit d'absolu anime les heures de gloire comme celles, plus sombres, où les valeurs sont reniées, où les fidélités sont trahies. Obsédée par sa grandeur, la France est comme paralysée par la crainte du déclin. De toutes parts resurgit la même antienne d'une nation exténuée, qui, tel un astre moribond, jetterait ses derniers rayons sur un théâtre de fin du monde.

Mais le sentiment du déclin condamne à l'immobilisme. Fiers et droits, on attend l'heure de la catastrophe. Aujourd'hui encore, les Cassandres ne font rien pour amorcer le changement nécessaire, la transformation indispensable pour que notre pays maintienne son rang dans les décennies à venir. Inutile de chercher, derrière les plaintes et les lamentations, l'ébauche d'une idée nouvelle ou l'espoir d'un changement quand on stigmatise justement ce qui fait la spécificité, la grandeur même du pays : sa fidélité aux racines, son obstination à trouver un chemin original, son hostilité à adopter, sous la contrainte, des modèles venus d'ailleurs.

Et c'est pourtant dans cette exigence que se trouve le chemin. L'histoire nous montre que la France n'est elle-même que lancée à la poursuite d'un idéal. De ce passé qu'il vénère, notre pays a tiré une conscience profonde de sa singularité. La France ne s'aime qu'à la tâche, assignée dans le concert des nations à un devoir particulier. Pour notre pays, chaudron où fermentent les passions, où se recuisent les haines, où flambent les divisions, le plus grand ennemi reste l'ennui. Longtemps la soif d'absolu a puisé aux sources de la tentation de puissance. Dans sa quête, notre pays a connu les épreuves de la guerre et de la décolonisation. Son nouvel idéal doit lui permettre de dépasser cette double mémoire, l'une qui nie l'altérité en voulant la détruire, l'autre qui nie l'altérité en voulant la façonner à son image. Mais forts de ces leçons, nous avons acquis la conviction de notre vocation à porter une voix particulière, originale, une voix entendue et écoutée à travers le monde.

Aujourd'hui cette ambition passe par la défense d'une certaine idée : comment servir l'Europe et le monde alors qu'il aspire à une même communauté de destin et à la reconnaissance des identités de chacun ? L'enjeu est majeur : il s'agit de conjuguer unité et diversité à l'échelle de notre continent, de rassembler les énergies et les talents français pour réussir l'élaboration d'un projet européen unique. Mais il ne s'agit pas du seul avenir de l'Europe : c'est dans la construction d'une véritable démocratie mondiale que notre pays doit s'engager avec la volonté, la générosité et la détermination dont il a toujours su faire preuve aux grands rendez-vous de l'Histoire.

En nous fixant ce nouvel horizon, nous ne saurions oublier notre devoir de fidélité. Fidélité à notre quête d'idéal, à notre vocation universelle, et aussi à notre héritage. Car rien ne serait pire aujourd'hui que de renier les aspirations qui nous ont guidés à travers les siècles

Au rythme d'un débat passionné, la France a su concilier des valeurs qui, dans d'autres pays, s'opposent entre elles et semblent s'exclure. La synthèse française parvient à faire vivre pareillement les libertés, la solidarité et l'égalité, sans que l'attachement à l'une conduise à renoncer à l'autre. C'est un héritage lourd, complexe, exigeant. D'autant que chacune de ces aspirations menace de s'effriter. La solidarité s'est altérée à mesure que l'individualisme et l'égoïsme ont progressé. L'égalité a dérivé vers l'égalitarisme qui, au lieu de faire progresser ceux qui en ont le plus besoin, s'épuise dans des mécanismes absurdes et contre-productifs. La liberté enfin ne se décrète pas : c'est un exercice de tous les jours.

En retrouvant le souffle premier de ces trois aspirations nous pourrons répondre aux problèmes d'aujourd'hui : oui, il faut retrouver l'élan initial de la liberté, si nous ne voulons pas étouffer les forces vives et les talents de notre pays ; non, nous n'entendons pas renoncer à la solidarité qui fonde l'équilibre de la société dans laquelle nous souhaitons vivre ; oui, il faut le dire et le prouver avec plus de force que jamais auparavant : les enfants de la République ont les mêmes droits et les mêmes devoirs. Pour cela il nous faut revenir aux sources de l'esprit de liberté, à ces années du XVIIIe siècle dans lesquelles la France forgeait le rêve de tous les peuples ; revenir à une solidarité plus volontaire et mieux partagée, assumée par toute une société et non plus seulement par l'Etat ; revenir enfin au sens profond de l'égalité qui est le mérite.

Construire une France à la hauteur de cet héritage et de cette ambition : voilà notre tâche. Elle nous oblige à réconcilier les forces du pays qui, divisées, le tirent vers le bas. Evitons les dialectiques simplistes et les faux dilemmes : Europe ou nation, Etat ou individu, fermeté ou dialogue. Notre défi, c'est de réussir la réconciliation, la synthèse. Devant la transformation de la société française qui accueille chaque jour de nouvelles cultures et intègre de nouveaux arrivants, la conviction est forte que l'universel auquel aspire notre pays doit s'ancrer dans la reconnaissance de l'altérité. Là encore, il ne s'agit pas de choisir entre communautarisme et assimilation : notre nation doit parvenir à l'alchimie de ses sensibilités.

Pour renforcer la volonté de vivre ensemble et le sentiment d'unité, il est temps de se réapproprier le fondement de notre nation : le pacte républicain avec ses principes d'égalité des chances, de tolérance, d'autorité de l'Etat et de laïcité. Au lieu de discréditer ces principes, au nom d'une évolution trop rapide de la société, nous devons leur donner les moyens de s'incarner de nouveau, de déclencher d'autres cercles vertueux, de renforcer la cohésion nationale. Chacun doit faire preuve de responsabilité, l'Etat en premier lieu, mais aussi le citoyen.

Après la première mondialisation dominée par l'Espagne à la Renaissance, après la deuxième, lancée par la Révolution industrielle et dominée par les pays anglo-saxons, ne peut-on parier que la troisième mondialisation, celle des identités, des cultures et des symboles, apportera un nouvel élan à l'ambition française ? Car les valeurs qui animent notre ambition sont également celles auxquelles aspire la société internationale : universalisme des droits de l'homme, foi dans la fraternité et la solidarité, espoir de réunir toutes les différences dans une même communauté humaine, nécessité de corriger les dérives du marché par des mécanismes de régulation. Aujourd'hui, devant les grands défis européens et mondiaux, qui comprendrait que notre pays, pour la première fois, recule devant l'obstacle et renonce à son ambition ? Si elle veut peser de tout son poids sur la poursuite de l'aventure continentale, la France dispose d'une décennie pour accomplir sa mue et réussir les réformes nécessaires, sans lesquelles la « grande nation » solidaire, fraternelle ne serait plus qu'un composite d'égoïsmes, rongé par les communautarismes, un pays abandonné à une universelle solitude contraire à son histoire, à ses valeurs et à sa passion du monde. « Etre Français, nous rappelle Gombrowicz, c'est précisément prendre en considération autre chose que la France. »

CONCLUSION

Chute du mur de Berlin, tours en flammes de Manhattan, chaos meurtrier de Bagdad : quel étrange itinéraire de joies et d'effrois ! En ces moments d'une intensité étonnante s'est nouée l'histoire de notre temps. L'affaire iraquienne révèle les troubles, les contradictions, la complexité de notre monde. Par sa dramaturgie elle accuse les traits, met en évidence les tours et détours avec une netteté implacable. Comme dans la fable, les faits et gestes des uns et des autres semblent se simplifier, s'épurer, devenir soudain plus lisibles. Derrière les Etats, au-delà des individus, les principes s'animent et prennent corps. Souvent, j'ai été tenté de tirer la morale de ces événements.

Mais pour dire notre monde il faudrait recourir à toutes les ressources du bestiaire : le loup, l'agneau, le lièvre et la tortue, le lion ou le rat, des fables ne suffiraient à en illustrer toute la complexité. Car pour qui veut croire à des lendemains meilleurs il ne saurait y avoir aujourd'hui un vainqueur et un vaincu. Finalement, c'est la métaphore qui s'est imposée à moi : l'alliance du requin et de la mouette, avec son évidence et son mystère. L'association évoque bien sûr l'opposition, de l'eau et de l'air, de l'obscurité du fond des mers et de la lumière du ciel. Mais opposition à l'issue incertaine puisque les deux protagonistes se meuvent dans des éléments différents. Le requin et la mouette ne se combattent pas ; leur duel ne débouchera pas sur la victoire de l'un ou de l'autre. Le requin incarne la puissance, la force, le refus de se laisser arrêter par la complexité du monde. Il fend la mer et fond sur sa proie. La mouette, elle, ivre d'azur, tournoie, portée par les vents, d'une aile ondoyante, en lâchant de temps à autre son rire déchirant. Elle observe, prend de la hauteur, se rapproche, monte, descend, virevolte. La ligne droite est rarement son chemin. Elle est à l'écoute du monde. Pourtant, entre ces deux êtres, ce furent d'étranges noces qui hantaient le poète et le peintre, René Char comme Matisse. Ce livre, donc, fuit les certitudes étroites pour se livrer à la question, au plus grand risque des hommes et de la nature en quête de réconciliation. La partition qui reste à écrire n'est pas à une seule main, mais à la force des convictions. Une partition où chaque main trouve sa place, défriche et invente.

*

Libérés de bien des préjugés, nous restons paralysés par l'angoisse et la peur. Oublieux des batailles livrées au fil des siècles, l'homme contemporain semble désemparé devant ce sombre et éternel présent, fascinant et en même temps désespérant. Le monde, aujourd'hui, ne se complaît-il pas dans sa prétendue impuissance ? Elle lui évite d'avoir à se poser la question, qu'il croit sans réponse possible, de ses fins. La classe politique, trop souvent, goûte le confort d'un jeu de rôles dans lequel la majorité regrette son impuissance, tandis que l'opposition stigmatise son manque d'imagination. Quant aux individus, ils troquent sans trop de difficultés, pour nombre d'entre eux, la liberté contre le confort de l'irresponsabilité.

N'oublions pas pourtant l'expérience de la Grèce ancienne : malgré le poids du Destin, malgré la volonté implacable des dieux, c'est l'homme qui écrit son histoire. Cette leçon, souvent nous l'avons laissée s'échouer sur les rives du temps. Mais tel le roseau du roi Midas qui discrètement pointe pour éventer le message secret, la voix du naufragé nous parvient encore à travers les âges ; ironique, elle nous chuchote son irremplaçable puissance, dès lors que le silence se fait en nous et que, tentant de surmonter une crise, nous examinons les pages noircies des siècles ; réconfortante peut-être, elle nous rappelle qu'il faut admettre notre état d'homme qui ne sait où il va, pourvu qu'en nous se taisent la peur, la haine et la colère. Mais surtout, à la fois amicale et impérieuse, elle nous invite à assumer avec hauteur et dignité notre condition.

Si l'homme grec sait que son sort est fixé par les Immortels, il n'ignore pas que c'est à lui seul qu'il appartient de jouer, avec ou sans grandeur, le rôle qui lui est assigné. Sauvegarder « les choses qui doivent leur existence aux hommes », et parmi elles, avant tout, « les grandes actions des Grecs et des Barbares » : tel est le but de l'histoire, pour Hérodote comme pour Thucydide, pour l'historien, mais aussi pour le poète. Si les objets que nous fabriquons, ustensiles, armes, monuments, doivent au moins quelque durée à leur matérialité, l'action humaine – paroles, mouvements, combats – ne survit à sa propre fugacité que dans le geste de sa transcription. Immortaliser, écrit Hérodote, voilà à quoi vise l'histoire, comme acte et comme écriture. Notre malheur serait très grand, et notre condition très basse, si cet idéal aujourd'hui ne trouvait plus d'écho en nous. La liberté ne consiste peut-être pas à décider de la fin ; elle réside sûrement dans la grandeur avec laquelle cette fin sera assumée. Et c'est bien le témoignage de cette grandeur qui mérite d'être conservé dans une mémoire.

L'abdication de la volonté, nous l'avons appris dans notre chair, laisse nos sociétés vulnérables. Vulnérables aux fanatismes, avides d'occuper l'espace laissé vacant par la désertion du politique. Vulnérables au délitement de la conscience. Vulnérables aux forces centrifuges qui travaillent à leur dislocation. Il est urgent aujourd'hui que l'homme et la société redécouvrent le sens de la liberté, invitation à la prise de conscience et au sursaut.

Cet appel, Rousseau l'exprime dans une formule saisissante, « la volonté parle encore, quand la nature se tait ». Nous autres, Occidentaux, avons construit notre conception de l'homme sur cette idée que le propre même de l'homme, c'est que « la volonté parle ». Il est difficile de considérer cette conception comme périmée ; difficile d'accepter la mort de l'homme, proclamée par certains, après celle de Dieu.

*

Le monde, abandonné aux tourbillons, semble désormais refuser toute empreinte, toute main pour le guider, alors que de la crise même naît le sauveur. Comment ne pas songer à Alexandre, à César, à Charles Quint, à Washington, à Bolivar, à Gandhi ou encore à Napoléon, héros au multiple visage, tour à tour général victorieux, consul pacificateur, empereur législateur, à la fois fils et dompteur de la Révolution ? « L'esprit du monde à cheval », salué par Hegel, incarne la figure du passeur, d'un siècle à l'autre, de l'Ancien Régime à la France moderne. Il le doit à ses victoires et à sa conscience aiguë de l'importance de l'opinion, opinion de son temps galvanisée par les bulletins de la Grande Armée, opinion de tous les temps conquise par le verbe prophétique du mémorial et les innombrables représentations du héros. Le mythe devient vérité pour la postérité, à l'image du fameux tableau de *Bonaparte au pont d'Arcole* par le baron Gros, qui « arrange » la vérité pour mieux fixer l'héroïsme conquérant du « petit caporal » à l'aurore de sa formidable épopée. La toile reflète l'assurance du général, sa foi en sa mission et en son destin. Elle incarne l'image du grand homme faisant avancer l'histoire, et le pont d'Arcole figure le point de passage entre le passé et l'avenir.

Notre époque a-t-elle encore besoin de sauveurs ou d'hommes providentiels ? N'a-t-elle pas davantage besoin de visions, de chemins, d'exemples à l'aide de la conscience de chacun ? Elle est en quête de passeurs pour aborder aux rives d'un nouvel âge, de défricheurs pour lire les traces les plus enfouies et découvrir de nouveaux signes, d'éclaireurs capables de saisir l'esprit du monde et de lui dévoiler une aube nouvelle. Elle a surtout besoin de la volonté de tous. Lucidité et courage, ruse et grâce seront les qualités requises pour échapper au gouffre et tracer un autre destin. Pour sortir de la confrontation qui se dessine, pour échapper aux apories de la modernité, pour fonder un pacte salvateur nous avons besoin d'un nouveau mythe, d'une parole féconde, d'un geste augural.

Notre rêve universel et humaniste ne peut être compris que si nous refusons l'idée d'un Occident tourné vers la seule satisfaction de ses désirs et prompt à désigner des boucs émissaires. Notre message des droits de l'homme doit vivre au service de tous les peuples, ce qui veut dire servir la paix face aux crises, la justice face aux inégalités, et prendre le vrai risque de l'humanité qui est celui du partage. Aujourd'hui, nous avons un devoir de compassion et de résultat. Il faut étreindre la réalité dans sa diversité et sa complexité. En ces temps de révolution, cette tâche est la nôtre, celle de chacun d'entre nous. Les noces du requin et de la mouette ne sont rien d'autre qu'une esquisse de ce nécessaire réenchantement du monde.

Enfants, nous avons tous rêvé de vivre en d'autres temps, celui des Grandes Découvertes, des Mousquetaires ou de la Révolution. A chaque âge, il a fallu trouver la force de se lever contre la fatalité. Nous avons tous vibré à l'évocation des combats menés pour défendre nos valeurs de liberté et de justice, combats contre tous les fascismes et tous les totalitarismes. Y a-t-il époque plus passionnante, plus bouleversante que la nôtre ? Où l'homme peut imaginer redevenir maître de son destin, choisir sa vie. Où tous les peuples du monde veulent croire à cette utopie devenue réalité : la fraternité.

TABLE

Photocomposition Nord Compo
59650 Villeneuve-d'Ascq

Cet ouvrage a été réalisé
par **Bussière Camedan Imprimeries**
à Saint-Amand-Montrond (Cher)
pour le compte des éditions Plon
76, rue Bonaparte
Paris 6e
en septembre 2004

Imprimé en France
Dépôt légal : août 2004 - N° d'édition : 13803
N° d'impression : 043732/1